Prod No.	100632
Date	18.12.19
Supplier	C&C Offset

T.P.S	240 x 172mm (upright)
Extent	288pp text and illustrations printed 4/4 (cmyk)
TEXT 1	216pp 157gsm GS matt art paper (FSC)
TEXT 2	72pp 140gsm Golden Sun woodfree uncoated paper (FSC)
Cover	Print 1/1 (Pantone 411u) + 2 side sealer varnish + 1s graining on 300gsm uncoated woodfree card 2s (FSC).
Binding	Paperback. Thread sew as 29 x 8pp + 14 x 4pp sections. Cover creased spine and side glued, covers drawn on, books trimmed flush on 3 edges. Jacket wrapped around aligned with base of book. Bellyband wrapped around aligned with base of book.
Bellyband	Print 1/0 PMS 411u) on white wibalin with natural finish (FSC).
Jacket	Print 4c + gloss lamination one side printed on 157gsm Chinese gloss art paper (FSC) from PDF file supplied. Jacket height 192mm with 130mm flaps.

Uwe Röttgen
Katharina Zettl

Handwerkskunst in Japan

Mit einem Vorwort
von Kengo Kuma

583 Abbildungen

Zu den Schreibweisen von
Namen und Orten:
In diesem Buch sind alle Namen
im zeitgenössischen Stil,
Vornamen vor Familiennamen,
geschrieben. Lediglich historische Personen, Tamaki Niime
und Chiyozuru Sadahides
Handwerkernamen wurden im
traditionellen Stil belassen.
Mit wenigen Ausnahmen,
darunter Tokyo, Osaka, Kyoto
und Shinto, sind, falls bekannt,
lange Vokale wie in „Kyūshū"
und „Hokkaidō" geschrieben.

Hiroshima

Fukuoka

九州
Kyūshū

沖縄
Okinawa

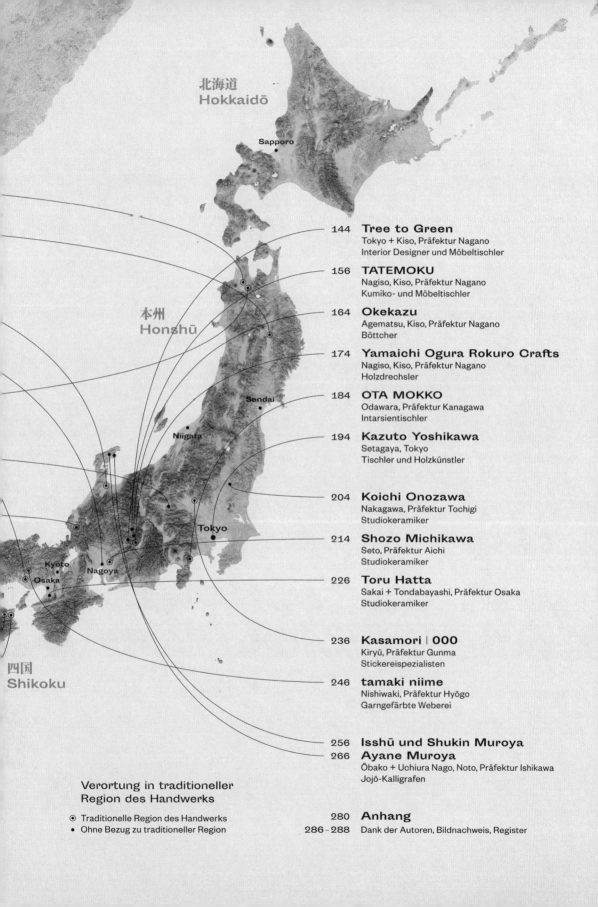

北海道
Hokkaidō

Sapporo

本州
Honshū

Sendai

Niigata

Tokyo

Kyoto
Nagoya
Osaka

四国
Shikoku

**Verortung in traditioneller
Region des Handwerks**

⊙ Traditionelle Region des Handwerks
• Ohne Bezug zu traditioneller Region

Vorwort

Mit dem Platzen der wirtschaftlichen Blase in den 1980er-Jahren und der Rezession in Japan in den 1990ern nahmen auch meine Projekte in Tokyo ein Ende. Ich hatte nichts zu tun und reichlich Zeit, sodass ich beschloss durch Japan zu reisen.

Auf meinem Weg wurde ich immer wieder gebeten, kleinere Projekte zu realisieren. Da ich alle Zeit der Welt hatte, entschloss ich mich, eine Weile bei den ortsansässigen Kunsthandwerkern zu leben, um mit ihnen zusammenzuarbeiten. So traf ich im ganzen Land erfahrene, wissbegierige Handwerker, auch weit abgeschieden in den Bergen.

Nach der Finanzkrise gab die Regierung bekannt, dass die Wirtschaft am Boden liege und Japan in einer Krise stecke. Doch aufgrund meiner vielen Begegnungen mit Kunsthandwerkern an den unterschiedlichsten Orten hatte ich vielmehr den gegenteiligen Eindruck. Ich spürte das enorme Potenzial des Landes, und es erfüllte mich mit Zufriedenheit, zusammen mit den Handwerkern Architektur zu erschaffen – so klein manche Projekte auch waren.

Die Rezession in Japan ging als das „verlorene Jahrzehnt" in die Annalen ein. Für mich persönlich war es die erfüllendste Zeit meines Lebens, diese zehn Jahre läuteten bei mir einen Wandel ein.

Um das Jahr 2000 herum begann ich, in der ganzen Welt zu arbeiten – in Städten, in bergigen Regionen Chinas, ja ganz Asiens, und in Europa. Doch zu meinem Bedauern begegnete ich nirgendwo Handwerkern wie denen in Japan. Dies verdeutlichte mir die Einzigartigkeit von Japans Handwerkern, von ganz Japan.

Warum wurden dort diese Fähigkeiten, die sich über Jahre entwickelt haben, über Generationen weitergegeben? Ein Grund könnte die spezielle topografische Struktur Japans sein. 70 Prozent des Landes sind mit Bäumen bedeckt, sodass Japan zu den waldreichsten Ländern der Welt zählt. In der hügeligen Landschaft verbergen sich Myriaden von Wäldern, Tälern und Bergzügen. In jedem Tal werden die Kulturen bewahrt und enge Beziehungen vererbt. Hier werden Miso und Sake seit jeher in kleinen Behältern fermentiert, so wie auch die Fähigkeiten der Handwerker stetig verfeinert und weiterentwickelt werden.

Aufgrund der unterschiedlichen Bodenbeschaffenheit und klimatischen Bedingungen in jedem Landstrich ist dieses langgezogene Land, das sich von Nord nach Süd erstreckt, ein Ort der Vielfalt. In Japans Wäldern steht eine Vielzahl unterschiedlicher Bäume, die zu verschiedenen handwerklichen Objekten und Designs verarbeitet werden. So konnte sich eine große Bandbreite an Stilen und gestalterischen Vorlieben entwickeln.

Nicht einmal einer Regierung westlicher Prägung ist es gelungen, die Vielfalt der traditionellen Handwerksstile zu kontrollieren. Der Versuch, diese Vielfalt mit Beton und Eisen in Bahnen zu lenken, war zum Scheitern verurteilt. Der Staat konnte den kulturellen Reichtum nicht bändigen.

Heute sollten wir bestrebt sein, die Schönheiten der Orte und der Natur und ihre kulturelle Vielfalt mithilfe von Architektur und Design zu erhalten. In Japan und seiner zerklüfteten Topologie verbergen sich eine Fülle von Hinweisen und Geheimnissen, in denen der Schlüssel liegt, um die Erde nachhaltig zu schützen und das Überleben der Menschheit zu sichern.

Kengo Kuma

Kengo Kuma ist einer der bekanntesten zeitgenössischen Architekten Japans. Er entwarf zahlreiche Gebäude in vielen Ländern der Welt, darunter das Suntory-Kunstmuseum in Tokyo, ein repräsentatives Gebäude mit LVMH Boutiquen in Osaka, das Kulturzentrum in Besançon, Frankreich, das Designmuseum V&A Dundee in Schottland oder das Neue Nationalstadion für die Olympischen Spiele 2020 in Tokyo.

Auf den Wegen der Kunstfertigkeit

Es gibt viele Wege, sich der japanischen Handwerkskunst zu nähern. Der unmittelbarste führt sicher über die Objekte selbst, sie anzuschauen und zu berühren, die in ihnen dargereichten Speisen zu genießen, sich von ihnen umhüllen zu lassen, ihnen in japanischen Bädern zu begegnen, ihre rauen oder glatten oder weichen Oberflächen zu spüren.

Welche kunstfertigen Hände haben diese Objekte wohl geschaffen? Wer sind die Frauen und Männer hinter diesen Arbeiten, wie leben und arbeiten sie, welche Haltungen und Wünsche haben sie?

Wir wollten die arbeitsamen Hände eines alten Meisters sehen, oft benutzte Werkzeuge. Werkstattstaub im Licht der Abendsonne. Handgewebte Stoffe, blau gefärbt vom Indigo und die Wandlung von Strauchfasern in feines Papier. Wir wollten frisch gesägtes Zypressenholz riechen, die Hitze des Schmiedefeuers spüren und die Schärfe der Klinge, die ihm entsteigt – es ist ein ganz eigener Kosmos.

Die Geschichte der japanischen Handwerkskunst reicht Jahrhunderte zurück. Eine Vielzahl von Einflüssen aus China und Korea wurde mit der Zeit aufgenommen, Techniken und Stile weiterentwickelt und verändert. Oft wurden die Arbeiten im Auftrag lokaler Fürsten und unter deren Schutz und Förderung gefertigt. Über die Zeit entwickelten sich so die unterschiedlichsten regionalen Stile und Techniken. Allein die Vielfalt der Ausdrucksformen japanischer Keramiken oder Lackwaren ist schier unglaublich.

Die spannendste Perspektive im Atelier eines japanischen Handwerksmeisters ist die des Lehrlings. Mit Wissbegierde und wachen Augen zu schauen, um zu lernen. Zu verfolgen, mit welch bewundernswerter Konzentration und Sorgfalt einzelne Arbeitsschritte ausgeführt werden. Erstaunt zu sein über Werkzeuge und Techniken und tiefe Freude zu spüren beim Verstehen der Zusammenhänge. Es ist unser individueller Blick als Buchgestalterin und Produktdesigner auf die Orte des handwerklichen Schaffens, die uns bei jedem Besuch aufs Neue überraschten und in Staunen versetzten.

Kennengelernt haben wir alle porträtierten Kunsthandwerker und Kunsthandwerkerinnen zunächst über ihre Arbeiten, die alle ohne aufwendige Dekorationen auskommen und anziehend bescheiden in Form, Farbe und Gestaltung sind. Die ursprünglichen Materialien bleiben oft erkennbar, mit all ihren Unregelmäßigkeiten und Eigenheiten wie der charakteristischen Zusammensetzung eines Tons, den Deformationen im Wuchs des Holzes oder der Rauheit des Eisens. Sie wollen in die Hand genommen, gebraucht und so in gewisser Weise zum Leben erweckt werden. Im Lauf der Zeit, mit dem alltäglichen Gebrauch, verändert sich ihre Erscheinung, Verfärbungen und Spuren von Hitze und Feuchtigkeit werden sichtbar, und mit ihnen die Erinnerung an die Veränderlichkeit, Imperfektion und Vergänglichkeit allen Daseins auf der Welt. Meist folgen die Arbeiten einer Ästhetik, die sich stark verbunden mit dem japanischen Zen-Buddhismus entwickelt hat, und lösen sich mal mehr, mal weniger vom traditionellen Kunsthandwerk, interpretieren es modern, ohne dabei den Ursprung auszublenden.

Mit der Öffnung des Landes und der Aufnahme westlicher Einflüsse in Staat und Gesellschaft zu Beginn der Meiji-Zeit im 19. Jahrhundert gerieten auch die japanischen Kunsthandwerker durch industrielle Fertigung, Importwaren und veränderte Lebensweisen unter wirtschaftlichen Druck. In der Folge entstanden verschiedene Bewegungen wie die durch Sōetsu Yanagi gegründete und von der englischen Arts-and-Crafts-Bewegung beeinflusste mingei-Bewegung („Volkskunst"), um handgefertigten Objekten zu erneuter Wertschätzung zu verhelfen und um die alten Techniken zu bewahren. Seit den 1950er-Jahren tragen auch zahlreiche staatliche Initiativen wie beispielsweise die ehrenvolle Auszeichnung herausragender Kunsthandwerker als „Lebende Nationalschätze" dazu bei, diese einzigartige Landschaft der Handwerkskunst zu erhalten.

Heute gibt es noch immer eine bemerkenswerte Vielfalt an Sparten, kunsthandwerklichen Stilrichtungen* und verschiedenen Arbeitsweisen. Viele Kunsthandwerker arbeiten zudem fast ausschließlich mit regionalen Rohstoffen: Sie stechen und verarbeiten ihren eigenen Ton oder werden zum Fällen von Bäumen in den Wald geholt, um sich die besten Stämme

* DENSAN (Association for the Promotion of the Traditional Craft Industries, Tokyo) führt derzeit noch mindestens 230 japanische Kunsthandwerksarten auf.

auszusuchen. Neben etablierten Familienwerkstätten gibt es zahlreiche kleine Firmen, oft in den ursprünglichen Zentren der jeweiligen Handwerkskunst. Dazu kommen zahllose eigenständig arbeitende Kunsthandwerker sowie handwerklich arbeitende Designer und Künstler. Ihre Arbeiten sind stets funktional, dennoch erscheinen sie bisweilen wie Kunstobjekte, was kein Widerspruch ist. Eine Trennung zwischen angewandter und „reiner" Kunst, zwischen Kunst und Handwerk, bestand in Japan lange Zeit nicht, und so sehen nicht nur wir unsere Protagonisten, sondern auch sie sich selbst in vielen Bereichen verwurzelt.

In unseren Porträts zeigen wir abseits der auch im Westen bekannten und viel beachteten Handwerkszentren wie Kyoto, Arita und Wajima einen Querschnitt verschiedener Haltungen und Ansätze des zeitgenössischen japanischen Kunsthandwerks. Vom künstlerisch getriebenen und ungebundenen Einzelkämpfer, über Firmengründer mit Angestellten, Meister mit Lehrlingen, etablierte und weltweit ausstellende Künstler, bis hin zum jungen Kollektiv und zu alteingesessenen, traditionell-regional verbundenen und seit vielen Generationen für höchste Ansprüche stehenden Kunsthandwerkerfamilien. Zudem stellen wir eine Familie von Kalligrafen vor, die auf ihre eigene Art und Weise die traditionelle Kunst der Kalligrafie neu interpretieren.
    Sie alle sind beeindruckende Persönlichkeiten, die mit Hingabe, Bescheidenheit und enormen Kunstfertigkeiten ihre künstlerisch-handwerklichen Berufe ausüben und sich dabei zugleich progressiv weiterentwickeln.
    Viele der Porträtierten begannen ihren beruflichen Werdegang als Studenten in einem der üblichen Business-Fächer, bevor sie früher oder später mit dem Kunsthandwerk in direkte Berührung kamen.

Nachhaltig von der sich bietenden Freiheit, der Nonkonformität und der Kraft des Schöpferischen beeindruckt, entschieden sie sich letztlich bewusst gegen die Existenz als langjährige Büroangestellte in einer der engen, schnellen Großstädte, um stattdessen mit ihren Familien in kleinen Städten oder auf dem Land, mit frei eingeteiltem Tagesablauf und mehr persönlichen Kontakten zu leben und einer Tätigkeit nachzugehen, die sie vor allem auch ideell entlohnt.
    Vielerorts gibt es Sorgen um die Zukunft, vor allem um den Nachwuchs, und doch scheinen wieder mehr und mehr junge Menschen dieses Arbeitsleben für sich zu wählen.

Wer möchte, kann viel von den Protagonisten lernen. Das vielleicht Wichtigste ist, allem die erforderliche Zeit zu geben. Allein ein Holz braucht monate- bis jahrelange Begleitung bei der Bewitterung. Indigo muss angebaut, geerntet und verarbeitet werden bevor es zum Färben genutzt werden kann. Keramiken im Holzofenbrand müssen tage- und nächtelang aufmerksam beobachtet werden und *urushi* muss nach jedem Auftragen unter genauen Bedingungen ruhen. Handwerkliche Qualität beruht auf Zeit, kombiniert mit hervorragenden Materialien, außerordentlichen Fähigkeiten, Sorgfalt, Hingabe und Kompromisslosigkeit gegenüber dem eigenen Tun.
    Trotz oft jahrzehntelanger Erfahrung eint sie alle der Wille zu lebenslangem Lernen und stetiger Verbesserung, vielleicht weil Perfektion eben auch Stillstand bedeutet. Zugleich geben sie ihr Wissen bereitwillig weiter und tauschen sich untereinander aus. Sie lehren uns einen respektvolleren Umgang mit Ressourcen und können uns daran erinnern, bewusster zu entscheiden, mit welchen Dingen wir uns tagtäglich umgeben wollen.

Direkt vor Ort zu sein erschien uns ideal, mit mehrtägigen Besuchen und in direktem Kontakt zu den Kunsthandwerkern und oft auch

zu ihren Familien. Meist stand der Camper, unser sechsmonatiger Lebens- und Arbeitsmittelpunkt, einfach neben der Werkstatt. So konnten wir ihren Tagesablauf kennenlernen, viele Arbeitsschritte beobachten, die Umgebung erkunden und möglichst nahe am Geschehen fotografieren, filmen und die Interviews führen.
    Fünfundzwanzigmal wurden wir mit großer Herzlichkeit und Offenheit in einer uns vorher unbekannten Welt willkommen geheißen, die so unterschiedlich war wie die individuellen Persönlichkeiten, die diese Werkstätten und Ateliers mit Leben füllen. Die überwältigenden Eindrücke festzuhalten war unsere Motivation für dieses Buch. Ein holistischer Einblick in den Mikrokosmos des zeitgenössischen japanischen Kunsthandwerks, in eine Welt, die es in den meisten Industrienationen praktisch nicht mehr gibt und die auch in Japan immer mehr gefährdet ist.
    Unsere Wege führten uns dabei abseits der üblichen Hotspots über viele Tausend Kilometer bis hinunter in die rauschenden Bambushaine auf der südlichen Hauptinsel Kyūshū, quer über die kleinere Hauptinsel Shikoku an der Seto-Inlandsee, in viele Gegenden auf der Hauptinsel Honshū, entlang ihrer rauen Küste bis hinauf in die tief verschneiten Präfekturen Iwate, Akita und Aomori. Wir haben die Kirschblüte kommen und gehen sehen, haben den Mond betrachtet, verschiedenste Sake genossen, ausgiebig japanisch gebadet, Sonnenauf- und -untergänge bewundert auf dieser Reise zu Studios mit Blick aufs Japanische Meer, zu Werkstätten inmitten von Feldern, zu Ateliers in Dörfern und Städten, und zu stattlichen Häusern zwischen Bergwäldern. Wir fuhren dorthin, wo die Handwerkskunst in Japan zu Hause ist.

Uwe Röttgen, Katharina Zettl

› craftlandjapan.com

„Kawaii ko ni wa
tabi o saseyo."
Schicke das Kind, das
du liebst, auf Reisen.

Japanisches Sprichwort,
zitiert von Masao Kawahira

Die Kunsthandwerker

Nigara Forging

Kompromissloses Streben nach Perfektion führt zu geschärfter Schönheit

二唐刃物鍛造所

Die letzten Schneereste in Aomori und beständig fallender Regen verwandeln die Lagerfläche vor den Werkstattgebäuden von Nigara Forging in Hirosaki in ein weiches, matschiges Gelände. Der Ort hat nicht die typische Erscheinung einer traditionellen Werkstatt, trotz der 350-jährigen Familiengeschichte der Tsugaru-Schmiede.

Es scheint, als liege im Anbau mit der Messerschmiedewerkstatt, den großen Essen, mechanischen Hämmern und Werkbänken über allen Oberflächen ein dunkler Grauschleier. Nur wenige Fenster lassen Tageslicht herein, denn die dunkle Umgebung erleichtert Toshihisa Yoshizawa und seinem Sohn Go die Kontrolle über das Schmiedeergebnis. Das Dämmerlicht hilft dabei, ihren sehr hohen Qualitätsstandard einzuhalten.

Die professionelle japanische Küche verlangt nach speziellen Messern für bestimmte Zwecke. Fleisch, Fisch und Gemüse schneidet man mit dem *santoku*, Sushi und Sashimi bereitet man mit dem *yanagiba* vor, Fisch im Allgemeinen verarbeitet man mit einem *deba* und Gemüse mit dem *usuba*. Und das ist nur eine grobe Einteilung. Die Messer unterscheiden sich in Form, Länge, im Schliff und bisweilen auch im Stahl. Gemein haben alle die außerordentliche Schärfe, was die vielen Schleifbänke, Bandschleifer und Utensilien zum Schärfen im zweiten Werkstattraum erahnen lassen. Denn erst hier wird einem Messer die eigentliche Funktion gegeben, mit einem ein- oder beidseitigen Schliff der Klinge.

Kunitoshi Nigara, der angesehene Schwertschmied der fünften Generation, während der Shōwa-Zeit.

Betrachtet man ein Messer wie ein Werkzeug, muss es vor allem den Zweck erfüllen, erstklassige Waren auf die am besten zu ihnen passende Art sauber zu zerteilen. In der japanischen Küche verfolgt man diesbezüglich vor allem das Ziel, die Eigenschaften der Zutaten bestmöglich hervorzuheben. Diese

In Nigaras Werkstatt hängt ein Zitat von Miyamoto Musashi (1584–1645): „In tausend Tagen Praxis lernst du die Technik. In zehntausend Tagen Praxis verfeinerst du deine Technik." Miyamoto Musashi war ein legendärer Schwertkämpfer, Philosoph und Gründer des Schwertkampfstils Niten-Ichi-ryū.

bisweilen kompromisslose Haltung japanischer Köche machen sich Vater und Sohn mit dem Hammer an der Esse und an Schleifmaschine und Schleifstein zu eigen. So wird die Kompromisslosigkeit zur Motivation.

Betrachtet man ein Messer als Kunstwerk – und es gibt viele Gründe dies zu tun –, möchten die Schmiede den Produkten auch Eigenschaften mitgeben, die außerhalb des eigenen Handwerks liegen. So binden sie etwa *Tsugaru nuri*, die *urushi*-Lacktechnik aus derselben Region, in Form von speziell lackierten Griffschalen und Messerscheiden ein.

Ihre ANMON-Messerserie, inspiriert von den Anmon-Wasserfällen des Weltnaturerbes der Shirakami-Berge nahe Hirosaki, spielt mit den sichtbar gemachten 25 Stahlschichten. Ein von Kōzō Takeda gestaltetes Messer dieser Serie wird mitsamt dem rund geschmiedeten Griffteil aus einem Stück Stahl hergestellt – es benötigt somit keinen separaten Griff.

An der Tür zur Schmiede hängen einige Leitgedanken auf Japanisch. Das manchmal Ludwig Mies van der Rohe zugeschriebene Idiom „Gott steckt im Detail" erinnert daran, mit der notwendigen Gründlichkeit zu arbeiten. Eine andere Notiz verlangt, immer das Beste zu geben, da die professionellen Nutzer der Nigara-Messer an ihrem Arbeitsplatz, der Küche, selbst stets das Beste geben. Doch der schönste Gedanke besagt, dass ein Herz aus Eisen auch ein Menschenherz ist. Man sollte das Metall mit Bedacht behandeln, so wie einen Menschen, denn es ist ständiger Begleiter und zugleich Basis für das eigene Auskommen.

二唐刃物鍛造所

I   Tief verschneite Hügel südlich von Hirosaki.
II   Go Yoshizawa formt den Stahl für ein hochwertiges Messer am Federhammer.
III   Die richtige Temperatur von etwa 1.200 °C erkennt der Schmied am Glühen des Stahls.

IV   Ein leichtes Fischmesser (*aideba*) aus der ANMON-Serie.
V   Schmiedezangen verbinden Feuer, Werkstück und Schmied.
VI   Go Yoshizawa steht während des Schmiedens in einer Grube.
VII   Der Bandschleifer gibt der Klinge den Feinschliff.

VIII   Um die Esse gruppieren sich Ambosse und mechanische Federhammer.
IX   Toshihisa Yoshizawa vor einer der großen Schleifmaschinen zum Schärfen.
X   Ein *yanagiba* mit *urushi*-Veredelung aus der TSUGARUNURI-Serie.

XI   Handgeschmiedetes Rasiermesser, ANMON-Messer mit lackiertem Griff und zwei Brieföffner.
XII   Ein schweres ANMON-Jagdmesser mit beidseitig geschliffener Klinge.

Boraxpulver hilft beim Verbinden zweier Stahlstücke.

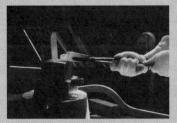

Eine Klinge erhält die Angel, an der das Heft befestigt wird.

Mittels Schleifmaschine wird eine beidseitige Klinge bearbeitet.

吉
澤
俊
寿
Toshihisa Yoshizawa ist Präsident und CEO von Nigara Forging, einem in der vierzehnten Generation geführten Familienbetrieb für hochwertige Schneidwaren und Stahlbau in Hirosaki, Präfektur Aomori. Er wurde schon in jungen Jahren darauf vorbereitet, eines Tages als Messerschmied in die Nigara-Familientradition einzutreten.

吉
澤
剛
Go Yoshizawa, der älteste Sohn von Toshihisa Yoshizawa, wird den Betrieb eines Tages übernehmen.

Schon vor über 350 Jahren ernannte der lokale Fürst von Tsugaru die Vorfahren von Nigara Forging neben anderen zu seinen Waffenschmieden. Einer ihrer späten Nachfahren, Kunitoshi Nigara, die ehrenwerte fünfte Generation, zeichnete sich in der frühen Shōwa-Zeit (1926–1989) in besonderer Weise durch die Herstellung hervorragender japanischer Schwerter aus und wurde in dieser Zeit als einer der Lebenden Schätze der Präfektur Aomori anerkannt. Seine Expertise als Schmied hat er an Toshihisa Yoshizawa weitergegeben.

„Als ich anfing, habe ich die handwerkliche Arbeit nicht sehr gemocht, und auch jetzt noch bin ich manchmal nicht so begeistert davon. Zu Beginn meiner Ausbildung fühlte es sich so an, als könnte ich nichts richtig machen. Jedes Mal, wenn ich in die Werkstatt kam, machte ich viele Fehler. Ich fand es schwer, unter so hohem Druck zu arbeiten. [...] Handwerker müssen gut mit Worten umgehen können und viel über die Gesellschaft wissen. Nur schüchtern sein und pessimistisch gegenüber der traditionellen Arbeit – so werden wir nichts verbessern. Ich muss hart an dem, was ich tue, arbeiten. [...] Mit dieser Einstellung kann selbst ein unkoordinierter Kerl wie ich diese traditionelle Handwerksarbeit genießen." Toshihisa Yoshizawa*

Japan blickt insgesamt auf eine viele Jahrhunderte alte Tradition der Schwertschmiedekunst zurück. Nach dem zweiten Weltkrieg wurden alle Waffen im Land verboten, und viele Schwertschmiede mussten sich eine andere Beschäftigung suchen. Als einer der wenigen Handwerksbetriebe durfte Nigara Forging auch nach dieser Zeit noch Schwerter unter anderem für rituelle Zwecke herstellen, was bis 1965 fortgeführt wurde.

Danach haben die Schmiede stattdessen die gleichen Techniken und Fähigkeiten auf die Herstellung hochwertiger Küchenmesser übertragen und wenden sie heute noch in nahezu unveränderten Prozessschritten an. Somit ist die bemerkenswerte Qualität handgeschmiedeter japanischer Messer in der von Generation zu Generation weitergegebenen Schwertschmiedekunst begründet.

* Zitat aus einem Interview mit Toshihisa Yoshizawa, geführt von Takafumi Suzuki für Tokyo Art Beat. www.tokyoartbeat.com

Klingen werden am Schleifstein immer unter Zugabe von Wasser geschärft.

Mittels Schwefelsäure werden die Stahlschichten sichtbar gemacht.

Der obligatorische Schärfetest mit einer Zeitungsseite.

Nigara Forging

二唐刃物鍛造所

Nigara Forging

Suzuki Morihisa Studio

Eisenerz, geformt durch
Wissen von Generationen,
Virtuosität

鈴木盛久工房

IV V
VI VII

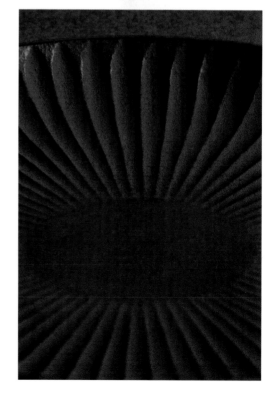

Suzuki Morihisa Studio

D ie Werkstatt befindet sich hinter dem für Japan typischen schmalen Vorderhaus mit Verkaufs- und Wohnräumen. Aus dem Giebeldach des gedrungenen Holzbaus konnte mit den Jahren ein Baum seine schmale Krone recken. Ein Türmchen auf dem Dach dient als Abzug für den Rauch vieler Prozessschritte.

Hankichi Morihisa Suzuki, die dreizehnte Generation (links) und Kanji Morihisa Suzuki, die vierzehnte Generation, mit einer Büste von Hankichi Morihisa Suzuki, die er während seiner Studienzeit anfertigte.

Blickt man sich am Ort des Geschehens um, fallen zuerst Hunderte in sandigen Erdtönen gehaltene Gussformen auf, die seitlich an den Wänden und mitten im Raum gestapelt sind. Die von Rauch geschwärzte Atmosphäre wird nur durch Neonlicht und ein wenig Tageslicht aufgehellt, das durch flache Fenster fällt. Unglaubliche Mengen an Formen, Arbeitsutensilien und Rohstoffen gruppieren sich um die wenigen Arbeitsplätze, die sich nur an einem flachen Sitzkissen, halbfertigen Kesseln und einer einzelnen Glühbirne erkennen lassen, wenn Morihisa Suzuki, ihr Sohn Shigeo Suzuki oder einer der drei angestellten Handwerker nicht im Raum sind.

Das seit fast 400 Jahren überlieferte Wissen und die Generationen überdauernde Kunstfertigkeit kann man förmlich spüren. Hankichi Morihisa Suzuki, die dreizehnte Generation, wurde vom japanischen Kultus- und Wissenschaftsministerium als immaterieller Kulturschatz ausgezeichnet, eine große Ehre in Japan. Seine Arbeiten waren von

der Teezeremonie, von der *wabi-sabi*-Philosophie (ein Konzept in der traditionellen japanischen Ästhetik), aber auch von modernem Design geprägt. Die vierzehnte Generation ließ sich von italienischem Design inspirieren, wohingegen der Stil der gegenwärtigen fünfzehnten Generation leichter, zart und feminin wirkt. Morihisa Suzukis Sohn bezieht seine Inspiration dagegen bewusst aus urbaneren Einflüssen wie Architektur, moderner Kunst, Filmen und Grafik. So verleiht jede neue Generation dem Wirken im Sinne der Familie eine eigene Note, bei gleichbleibend hoher Qualität.

Suzuki Morihisa Studio fertigen vor allem Kessel für das Erhitzen von Wasser für die Teezeremonie (*chanoyugama*), Kannen für Tee (*tetsubin*) und für Sake (*chōshi*). Im Studio entstehen aber auch andere schöne Produkte aus Gusseisen wie kleine Schalen, Bänkchen für Essstäbchen und Briefbeschwerer.

Im Herstellungsprozess, seit langer Zeit weitgehend unverändert, nutzt man kleine Schaufeln, Spatel und Rotationsschablonen zum Gestalten der äußeren Gussformen. Mischungen aus sehr feinem Sand und Bindemitteln werden in den Außenformen übereinandergeschichtet und getrocknet. Zirkel, Schaber, Griffel und Stempel dienen dem aufwendigen händischen Herausarbeiten fein ziselierter Muster und Motive in der angetrockneten innersten Sandschicht. Die hohe Kunst ist es, sich alles über Kopf und zugleich negativ vorzustellen.

Die über 1.300 °C heiße Eisenschmelze füllt beim Gießen den Raum zwischen gravierter Außenform und einfacher Innenform. Nach dem Entformen wird das Ergebnis zum ersten Mal sichtbar. Dem Entgraten und Schleifen folgt das Erhitzen der Kessel im Kohlefeuer auf über 1.000 °C, wodurch eine natürliche Oxidschicht entsteht, die als Rostschutz dient. Schlussendlich wird außen ein leicht eingefärbter *urushi*-Lack auf das heiße Werkstück aufgetragen.

Die Auftragsbücher sind über Jahre gefüllt, was sich durch den aufwendigen Prozess und nur 20 gefertigte Kessel pro Monat erklärt. Besonders die Kunden aus Asien schätzen die Anreicherung des dort oft sehr weichen Teewassers mit Spurenelementen aus den gusseisernen Kesseln.

鈴木盛久工房

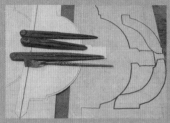

Querschnitte einer neuen Kesselform werden auf Rotationsschablonen übertragen.

Per Schablone wird das Innere einer Gussform vorbereitet.

Die Innenseite der Gussform wird mit Schabern und Griffeln (nicht abgebildet) modelliert.

十五代目　鈴木盛久 **Morihisa Suzuki,** geboren als Shiiko Kumagai, ist die fünfzehnte Generation in der Familie von Kesselgießern. Zusammen mit ihrem Sohn betreibt sie den Handwerksbetrieb Suzuki Morihisa Studio zur Herstellung gusseiserner Teekannen und Kessel in Morioka, Präfektur Iwate. Als älteste Tochter von Kanji Morihisa Suzuki, der vierzehnten Generation, schloss sie 1967 ihr Studium an der bekannten Musashino Art University nahe Tokyo ab.

鈴木成朗 **Shigeo Suzuki,** geboren als Shigeo Kumagai, ist der zweite Sohn von Shiiko Kumagai und fungiert als Präsident und CEO des Studios. Er schloss im Fach Metallguss, Department of Crafts, an der Tokyo University of the Arts ab und arbeitete einige Jahre als Grafiker für das Modelabel seines Bruders, bevor er 2008 in den Familienbetrieb eintrat.

Die Familienlinie von Kesselgießern wurde 1625 von Nui Suzuki gegründet, einem Metallgießer aus der Präfektur Yamanashi. Zusammen mit dem Kesselgießer Goroshichi Koizumi aus Kyoto wurde er vom seinerzeit in Morioka herrschenden

„Ich wuchs im Umfeld meines Großvaters, der vierzehnten Generation, dem Vater meiner Mutter, auf. Damals, als Kind, dachte ich nicht, dass meine Mutter der nächste Stammhalter werden würde, und ich dachte auch nicht, dass ich diese Arbeit machen würde. Ich kam nur in die Werkstatt, um zu spielen. Als mein Großvater starb, war ich zehn Jahre alt. Es gab keinen männlichen Erben, und niemand wusste, wie es weitergehen sollte. Als ich dann in der Oberschule war, entschied meine Mutter, die Werkstatt in der fünfzehnten Generation fortzuführen. Ab diesem Zeitpunkt begann ich, darüber nachzudenken, diese Aufgabe nach ihr zu übernehmen." Shigeo Suzuki

Nanbu-Clan verpflichtet Kessel, Glocken und Kanonen zu gießen. In der nachfolgenden Zeit wurden die Kessel des Nanbu-Clans gerne als Gastgeschenke in feudalen Kreisen überreicht. Aufgrund ihrer Qualität verbreiteten sie sich bald als Nanbu-Eisenwaren (*Nanbu tekki*) in den Haushalten des Landes. Viele Handwerksbetriebe in Morioka stellen noch heute hochwertige Kessel, Pfannen und andere Gebrauchsgegenstände mit den traditionellen Gussverfahren her.

„Ich lasse mich von Architektur, Bildhauerei und auch von anderen Kulturen inspirieren. Ich versuche, mich nicht zu intensiv mit alten gusseisernen Objekten zu beschäftigen. Meine Vorgänger waren einfach so erstaunlich, dass ich nicht zu sehr beeinflusst werden möchte – es wäre nicht interessant, wenn ich ihre Werke einfach kopieren würde." Shigeo Suzuki

1.300 – 1.400 °C heiße Eisenschmelze wird in mehrere Formen gefüllt.

Sämtliche Außenseiten müssen entgratet werden.

Auch fein ziselierte Motive lassen sich auf Kesseln abbilden.

Suzuki Morihisa Studio

鈴木盛久工房

鈴木盛久工房

Shimatani Syouryu Koubou

Klingende Volumen,
aus dem Flachen erschaffen
durch Gelassenheit

Shimatani Syouryu Koubou

シマタニ昇龍工房

Shimatani Syouryu Koubou

Das metallisch-helle „Bing-bing-bing" des Hämmerns in der Werkstatt von Shimatani Syouryu schmerzt in den Ohren und macht einen Gehörschutz notwendig. Gerade schlagen zwei Handwerker mit großen Hämmern konzentriert auf runde Messingblechteile ein, während ihre Kollegin ein kleines silbrigglänzendes Blech mit präzisen Schlägen bearbeitet. Ihr Hammer hinterlässt deutliche Abdrücke in den *suzugami* (Zinnpapier) genannten Zinnwaren, für deren Muster das mystische Wetter Japans mit Hagel, Regen und Schneeflocken Pate stand. Neben der Oberflächengestaltung ist der eigentliche Zweck des Hämmerns die Verdichtung des Metalls.

Kumekazu Shimatani, Familienmitglieder und Mitarbeiter in dem Hauptteil der Werkstatt.

Zusammen mit der Gießerei Nousaku aus Takaoka entwickelten die Schmiede die Idee, in vier quadratischen Größen erhältliche Zinnbleche für bestimmte Zwecke individuell formen zu können. Zum Beispiel vertikal gerollt als Vase, gewellt als Ablage, rundum hochgebogen als Schälchen oder mit hochgebogener Ecke für *wagashi* (zum Grüntee gereichte Süßigkeiten). Nach der Benutzung können sie mit einem passenden Rundholzstab einfach wieder flach gerollt werden, um sie erneut verbiegen zu können. So passt das flexible Geschirr hervorragend zur Leidenschaft der Japaner, Speisen stets perfekt zu präsentieren.

Trotz der körperlich anstrengenden Arbeit und dem enormen Geräuschpegel wirken die Hand-

Orin-Gongs im Tempel Sōjiji-soin nahe Monzen, Halbinsel Noto.

werker sehr entspannt. Es wird an der kontemplativen Tätigkeit und der jahrzehntelangen Erfahrung bei der Herstellung buddhistischer *orin*-Gongs liegen. Die umgedrehten Glocken ähnelnden gehämmerten Klangkörper begleiten die Meditations- und Sprechgesangsabschnitte in buddhistischen Tempeln.

Jeder *orin*-Gong von Shimatani ist aus drei Blechteilen aufgebaut. Der obere Ring wird aus einem dicken Messingstreifen gehämmert, um die notwendige Wandstärke zu

erzeugen, die dem späteren Klangkörper Stabilität und Klangtreue verleiht. Der mittlere Teil aus dünnerem Messingblech wird zuerst zu einem Zylinder gewalzt, dann rundum mit dem oberen Ring verschweißt, und beides zusammen wird in eine bauchige Form gehämmert. Erst wenn diese glockenförmig mit dem leicht gewölbten Bodenblech verschweißt sind, bekommt der Boden die endgültige bauchige Ausformung. Der Gong wird dazu immer wieder mit seinem Eigengewicht auf eine runde Formstange gestoßen.

Erst durch tausende Hammerschläge wird die Form eines *orin* perfekt, das Metallblech gehärtet und der Klang schön. Der erste Ton nach dem Anschlagen (*kan*) ist abhängig von Stärke und Dichte des Metalls. Das Stimmen der Töne mit langen und kurzen Wellenlängen (*otsu, mon*) erfordert ein über viele Jahre trainiertes multisensorisches Gefühl. Es versetzt den Meister in die Lage, Dissonanzen im Klangkörper förmlich zu spüren, um sie mit gezielten Hammerschlägen auf der Innen- und Außenseite zu bereinigen.

Dem harmonischen Klang des fertigen Gongs wird eine beruhigende und entspannende Wirkung zugeschrieben. Die bevorzugte Tonalität wandelte sich mit der Zeit, im Gegensatz zur traditionellen Form des Gongs. Schon kleinere Versionen klingen bis zu 30 Sekunden nach, wenn sie mit den typischen mit Leder und Seilen umwickelte Holzschlegeln angeschlagen werden.

シマタニ昇龍工房

I   Die Werkstatt liegt neben anderen Häusern in einem Wohnviertel.
II   *Suzugami*-Muster sind auch mit schweren Hämmern präzise zu setzen.
III   Das Tempern erfolgt meist per Gasbrenner.
IV   Feine Unebenheiten im *orin*-Gong sieht man nur bei guter Beleuchtung.

V   Kumekazu Shimatani vergleicht den Klang zweier Gongs mit einem Schlegel.
VI   Alle Schweißnähte müssen sorgfältig geglättet werden.
VII   Die Blechteile werden in der Esse zum Glühen gebracht.
VIII   Auch der obere Rand wird gehämmert.

IX   *Suzugami* mit den drei Mustern *samidare* („Sommerregen"), *arare* („Hagel") und *kazahana* („tanzende Schneeflocken").
X   Auf dem gebogenen, blanken Metall können unter anderem Speisen schön präsentiert werden.

XI   Erst ein fertiger *orin*-Gong erhält den ins Blech geschlagenen Markennamen.
XII   Für den perfekten Ton sind die *orin*-Gongs innen wie außen sorgfältig zu bearbeiten.
XIII   *Orin*-Gongs in unterschiedlichen Bearbeitungsstufen. Die Größe beeinflusst den Klang.

Oberer und mittlerer Ring eines kleinen *orin*-Gongs werden angepasst.

Ein mittelgroßer Gong wird auf der Formstange in Form gestoßen.

Zwei Brenner erhitzen einen *orin*-Gong, um die Spannung im Metall zu lösen.

島
谷
象
和 **Kumekazu Shimatani** führt Shimatani Syouryu Koubou in Takaoka, Präfektur Toyama, den 1909 gegründeten Familienbetrieb für buddhistische Klangschalen, *orin*-Gongs und gehämmerte Metallwaren aus Zinn in der dritten Generation und beschäftigt etwa zehn spezialisierte Mitarbeiter. Nur er, sein Sohn und ein Mitarbeiter beherrschen den gesamten Herstellungsprozess inklusive des Stimmens der *orin*-Gongs.

島
谷
好
徳 **Yoshinori Shimatani**, die vierte Generation, studierte zunächst internationale Politik und Geschichte in Tokyo und ließ sich danach als Koch ausbilden. Letztendlich entschied er sich doch für das Fortführen der Familientradition und lernte 17 Jahre bei seinem Großvater das Herstellen und Stimmen der Gongs. 2013 gründete er die Untermarke Syouryu für das gehämmerte *suzugami*-Geschirr aus Zinn.

Das lokale Handwerk *Takaoka dōki* (Takaoka Kupferwaren und Bronzeguss) blickt auf eine 400-jährige Tradition zurück. Neben dem Bronzeguss gibt es auch Spezialisten für Zinnwaren und gehämmerte Metallwaren wie die *orin*-Gongs. Im Rahmen einer lokalen Vereinigung junger Handwerker entstand die Idee, vermehrt Dinge für den täglichen Gebrauch herzustellen, um neue Märkte innerhalb und außerhalb Japans zu erschließen. Unter anderem entstand so das Tafelgeschirr aus gehämmertem Zinnblech. Mithilfe solcher Produkte möchte Shimatani Syouryu auch das Wissen über die traditionellen Hammertechniken für die eigenen Nachfahren und für die japanische Kultur am Leben halten.

„Alles, was wir hier tun, existiert nur, weil es täglich verwendet wird. Es ist wichtig, die traditionellen Techniken und Materialien zu respektieren und zu verstehen, warum eine Form auf eine bestimmte Weise hergestellt wurde, aber wir müssen auch Ideen entwickeln, die zum Leben in der modernen Gesellschaft passen." Kumekazu Shimatani

„Um den richtigen Klang zu erkennen und um zu stimmen, müssen wir lernen, unseren ganzen Körper einzusetzen – wir merken ihn uns irgendwie durch unseren Körper. Es funktioniert nicht wie das Lesen einer Partitur, es ist ein sehr traditioneller japanischer Klang wie *shirabe*. *Shirabe* ist im Grunde keine Note, sondern so etwas wie ein Echo. Es ist schwierig, dies in Worten zu beschreiben, es sind Harmonien, die wie ‚waowao' klingen. Es ist sehr schwer, es wirklich richtig zu machen. Der Klang ändert sich mit dem *shakkan*, dem alten japanischen Maßsystem. Das Stimmen von Echo und Klang ist sehr schwierig und erfordert ein hohes Maß an Können." Kumekazu Shimatani

Strukturierte Hämmer für das Bearbeiten der gemusterten *suzugami*-Oberflächen.

Suzugami gibt es mit den Kantenlängen 11, 13, 18 und 24 cm.

Das Verbiegen des flexiblen Zinnblechs kann intuitiv mit der Hand erfolgen.

Shimatani Syouryu Koubou

シマタニ昇龍工房

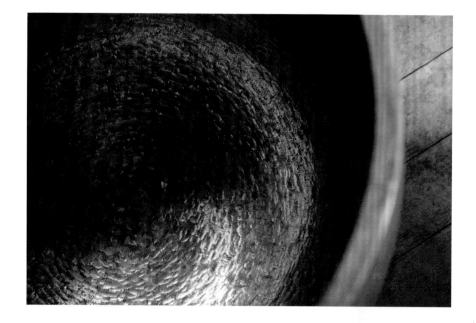

Masami Mizuno

**Das kupferne Blech
folgt der Idee des Hammerschlags,
glänzende Anmut**

Masami Mizuno

水野　正美

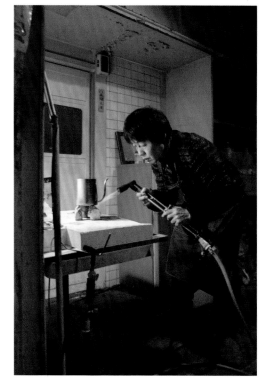

Alles wirkt ein wenig beengt in den zwei Studioräumen, die sich Masami Mizuno vor mehr als 20 Jahren in einem ehemaligen Wohnhaus im Osten Nagoyas eingerichtet hat. Man kann die Zeit an den Räumen und an den Materialien und Gegenständen ablesen, die sich nach und nach dort angesammelt haben. In der für Löt- und Schleifarbeiten genutzten Küche des alten Hauses bricht man fast durch den nachgebenden Holzboden, auch blättert hier und da bereits Farbe von den Wänden, während der braune Wandputz und das weiche Licht, das durch die klassischen Schiebetüren und Kassettenfenster in die Räume fällt, an die Behaglichkeit japanischer Wohnräume erinnern. Es ist der perfekte Ort für das Hämmern seiner Kupfer- und Messingwaren in Form wohlproportionierter Kannen, Pfannen, Töpfe, Teller, Löffel und Buttermesser, auf denen sogar das Wort BUTTER steht.

Masami Mizuno wirkt in seinen modernen Jeans und der lässigen Strickjacke ziemlich jung und zugleich in sich selbst ruhend. Wenn man bedenkt, dass seine Arbeiten nur durch abertausende Hammerschläge aus einem flachen Blech getrieben werden, bekommt man eine Ahnung seiner Kunstfertigkeit.

In der Arbeitsweise traditioneller *tsuiki*-Kupferwaren werden sogar die Tüllen der klassischen Kannen aus demselben Blech getrieben. Masami Mizuno ordnet seine Stücke aber zeitgenössischer ein und die

Details der Herstellung bisweilen dem modernen Design unter, was dem ästhetischen Ergebnis nicht im Geringsten schadet.

Während des Hämmerns sitzt er mal auf, mal vor einem dicken Baumstumpf, in dessen Oberseite spezielle Formstangen stecken. Sie bilden den formenden Gegenpart zu diversen Hammertypen, mit denen er durch regelmäßige Schläge das Blech formt, während Jazz oder Klassik aus dem Radio den stoischen Rhythmus des Hämmerns umschmeicheln.

Meist wird nach dem kreisrunden Ausschneiden eines Kupferblechs das Volumen grob per Holzhammer ins Blech getrieben, wodurch sich

Eine frühe Roboterfigur zeigt Masami Mizunos durchaus verspielten Charakter.

die Seitenflächen in Wellen legen. Durch gezieltes Hämmern an den richtigen Stellen vertieft sich das Volumen, der Durchmesser wird verringert und die Seitenwände verlieren ihre Wellen. Zwischenzeitliches Tempern hält das Metall geschmeidig. Mithilfe verschiedener Formstangen und Hämmer reduziert sich der Durchmesser weiter. Die Detailbearbeitung folgt, sobald die Werkstücke die endgültige Tiefe und den gewünschten Durchmesser erreicht haben. Alle Stücke werden mit dem Hammer poliert, bevor einige Töpfe auf der Innenseite verzinnt und manche Stücke auf der Außenseite behandelt werden. Viele bekommen zusätzlich Griffe aus selbst gehämmerten und gelöteten Messingbeschlägen. Am Ende signiert Masami Mizuno seine Arbeiten auf der Unterseite mit seinem Vornamen in lateinischer Schrift mit Hammer und Graviermeißel.

Längere Zeit beschäftigte er sich auch mit der Kunst des Siebdrucks, wovon die Trocknungsgitter und Siebe in einem kleinen Nebenraum zeugen. Direkt im Eingangsbereich des Hauses hängt einer seiner abstrakten Drucke aus dem Jahr 1984.

Vor einiger Zeit legte er ein paar bearbeitete Reststücke aus Kupfer auf zwei große Steine vor dem Fenster. Sie sind inzwischen von einer schönen Oxidpatina überzogen. Auch im Studio selbst finden sich einige seiner ersten Metallarbeiten von eher spielerischem Miniaturcharakter, darunter ein Stuhl, eine Parkbank und ein lächelnder Roboter.

水野　正美

I Das ehemalige Wohnhaus liegt idyllisch versteckt hinter hohen Bäumen.
II Vor dem Verbiegen wurde die Tülle der Kanne mit Sand gefüllt.
III Zwei Teekannen aus Kupferblech mit Messingbeschlägen.
IV Masami Mizuno in einem der kleinen Atelierräume.

V Jeder Hammerschlag verformt und poliert das Kupferblech.
VI Im Garten finden sich wiederverwendete Überbleibsel aus seiner Arbeit.
VII Kupfer und Messingreste auf dem Tisch, an dem er sägt und bohrt.
VIII Masami Mizuno widmet sich der an eine Kanne gelöteten Tülle.

IX Je nach Arbeitsschritt sitzt er vor oder auf dem Holzblock.
X Eine offene Bratpfanne und eine Omelettpfanne.
XI Schwanenhalskanne zum Aufbrühen von handgefiltertem Kaffee.

XII Kaffeekännchen zum Nachschenken, mit beweglichem Deckel und schönen Gebrauchsspuren.
XIII Buttermesser aus Kupfer und Messing und ein kleiner Messinglöffel.
XIV Seine Objekte aus Kupfer und Messingblech harmonieren gut miteinander.

Ein kreisrundes Kupferblech wird für einen Topfdeckel ausgeschnitten.

Der Deckelrand wird per Holzhammer an der Holzblockkante glatt geschlagen.

Eine kugelrunde Formstange hilft beim Formen eines Messinglöffels.

水
野
正
美
Masami Mizuno arbeitet als eigenständiger Handwerker für Kupferwaren in Nagoya, Präfektur Aichi. Er bearbeitet jedes einzelne Stück vom flachen Metallblech bis zum fertigen Volumen selbst.

Während seiner Studienzeit traf Masami Mizuno häufiger den bekannten mit Metall arbeitenden Künstler Takejirō Hasegawa. Er begann, sich für die Metallverarbeitung zu interessieren, schaute sich einiges vom Meister ab und belegte an einer privaten Schule für Metallbearbeitung Kurse bei dessen Frau, Mami Hasegawa, ebenfalls eine Metallkünstlerin. Im berühmten Handwerksbetrieb Gyokusendo in Niigata konnte er den Meistern ein paar Tage über die Schultern schauen. Seine Expertise in der Bearbeitung von Kupfer und Messing brachte er sich dann aber letztlich selber bei. Aufgrund seiner Leidenschaft fürs Kochen produziert er hauptsächlich Küchenutensilien und Geschirr. Die Gestaltung stammt ausschließlich von Masami Mizuno selbst, inspirieren lässt er sich von den bildenden Künsten und Dingen abseits des Handwerks.

„In meinen früheren Ausstellungen habe ich oft auch Kupferkessel gezeigt, die ich normalerweise zu Hause benutze. Aber ich habe sie gereinigt, damit sie wie neu aussehen. Später wurde mir klar, dass ihre eigentliche Optik, die Schönheit des Gebrauchten, viel passender ist, wie Vintage-Jeans. Also stellte ich später meine gebrauchten Kupferwaren aus. In letzter Zeit habe ich nicht mehr versucht sie zu reinigen. Die Innenseite von Töpfen kleide ich oft mit Zinn aus, Zinn schmilzt bei etwa 200 °C, und die Farbe verzinnter Kupfertöpfe ändert sich beim Erhitzen. Andere Objekte brenne ich absichtlich an, um sie gebraucht aussehen zu lassen. Ich finde sie so schöner, also mache ich das für Ausstellungen manchmal."

Die traditionellen japanischen Kupferwaren werden auch *tsuiki dōki* genannt, abgeleitet von der Benutzung eines Hammers (*tsui*) beim Treiben (*ki*) eines Kupferblechs (*dō*). Die eigentliche Kunst ist das Hochziehen der Seitenwände, das langsame Treiben eines Volumens in ein flaches Blech mittels verschiedener Hämmer und Formstangen zu dreidimensionalen Kannen, Töpfen und anderen Utensilien. Durch die Verdichtung des Metalls beim Hämmern, müssen die Stücke regelmäßig getempert werden, manche Arbeiten werden zusätzlich für bestimmte Zwecke oberflächenbehandelt.

„Ich mache keine Skizzen. Während ich arbeite, bewegt sich meine Hand automatisch und Ideen entwickeln sich spontan. Ich bevorzuge geschwungene Linien. Ich versuche dabei immer, die Wärme von Kupfer auszudrücken und dafür die beste Form zu finden."

Der erhitzte Messinggriff einer Kanne wird in Form gebogen.

Der Griff wird an die Kanne angepasst.

Der Handwerker signiert mit Hammer und Meißel auf der Kannenunterseite.

Masami Mizuno

水野 正美

Chiyozuru Sadahide Studio

**Geschickte Hände
des Schmieds schenken altem Eisen
ein neues Leben**

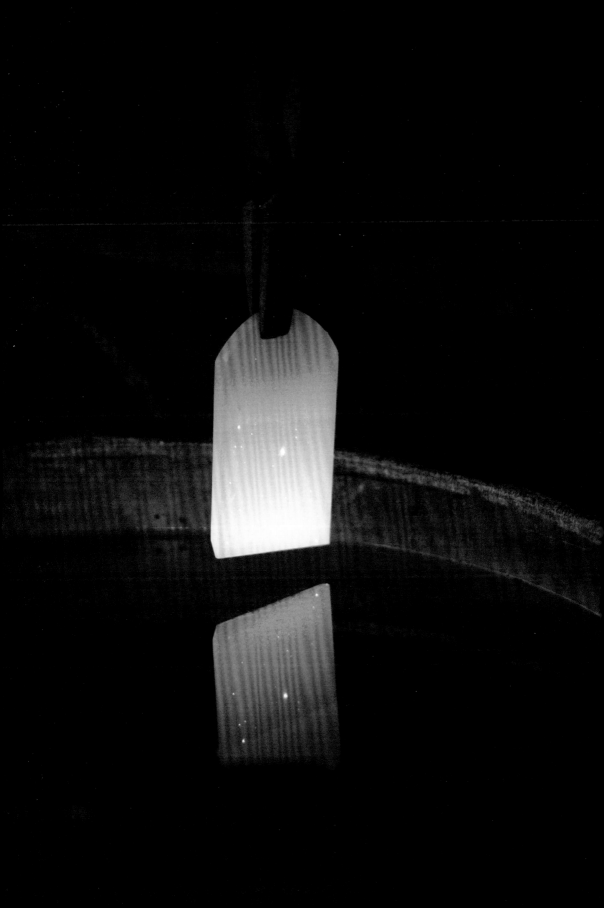

千代鶴貞秀工房

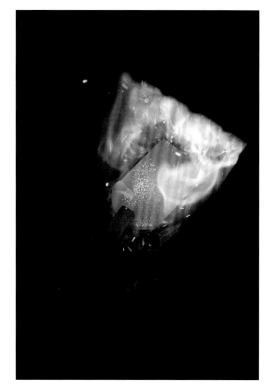

Als Iwao Kanki den Namen Chiyozuru Sadahide in zweiter Generation von seinem Vater übernahm, wurden ihm drei Prämissen auferlegt. Die erste war, sich immer daran zu erinnern, welche Ehre es ist, diesen Namen zu tragen. Die zweite war, stets die eigenen Eltern zu respektieren. Und die dritte war, bis ans Lebensende zu lernen.

Nun führt Chiyozuru Sadahide III diese Tradition in dritter Generation fort und ist sich der Bedeutung dessen sehr bewusst. Naoki Morita – sein eigentlicher Name – wirkt dabei sehr selbstsicher, wie die Idealbesetzung eines Nachfolgers. Von viel Idealismus, Überzeugung und einem starken Willen getrieben, verantwortet er die Fortführung des Handwerkernamens, der für beste Produktqualität steht. Er möchte vor allem die Schönheit von Eisen und Stahl zum Ausdruck bringen, auch seine neuen Produkte, wie kunstvoll geschmiedete Sammlermesser oder Brieföffner, strahlen den rohen Charakter des Metalls aus.

Wenn Chiyozuru Sadahide III seine Arbeit in der Werkstatt in Ono aufnimmt, heizt er zunächst die Esse an, um aus alten Eisenstücken einer vor 100 Jahren gebauten Brücke oder aus einem Stück alter Ankerkette Klingen für japanische Hobel zu schmieden. Ein Gebläse faucht Luft durch die glühenden Kohlen. Rauch durchzieht den Raum, man spürt die Hitze. Ein alter mecha-

Chiyozuru Korehide (rechts) mit seinem Sohn vor einem Shinto-Schrein in Tokyo, um 1930.

nischer Schmiedehammer saust nieder, Funken spritzen heraus. Mit ohrenbetäubender Schlagkraft und wenigen kontrollierten Bewegungen verbindet Chiyozuru die zwei glühenden Schichten zur Grundform eines Hobelmessers – ein weicher Eisenkörper als Rückgrat und ein harter Kohlenstoffstahl für die Schnittkante.

Der Schmied hantiert mitunter gleichzeitig mit den Elementen Feuer, Erde, Metall, Luft und Wasser. Deren Gegensätzlichkeit zeigt sich in ihren bemerkenswerten physischen Reaktionen aufeinander. Er begegnet den rohen Kräften hochkonzentriert und mit gesundem Respekt. Das glühende Metall, etwas außerordentlich Archaisches, Wahres, ist für ihn eine ständige Selbstbestätigung an der Esse, so wie er sich durch die Hammerschläge mit jeder angespannten Muskelfaser selber spürt.

Die halbfertigen Klingen werden noch mehrfach in einer mit dem Fuß betriebenen Esse zum Glühen gebracht und per Hand mit Hammer, Feilen, Stahlklingen, Schleifstein und Schleifbock geformt und poliert. Sie entspannen sich in feiner Strohasche, härten in Wasser und tempern in warmem Öl. Die vielen Prozessschritte sind aufwendig, kompliziert und sehr körperlich.

Vielleicht rührt die große Selbstsicherheit von Kunsthandwerkern auch von der Notwendigkeit her, jeden Arbeitsschritt selbst kontrollieren und beeinflussen zu müssen. Bei einem Schmied bestimmt jeder genau dosierte und gezielt gesetzte Schlag die Qualität der Klinge. Zugegebenermaßen geht es bei Werkzeug aber weniger um Kunst, sondern darum, etwas perfekt zu machen, es gibt keinen Interpretationsspielraum. Die Selbstbestätigung der beiden Werkzeugschmiede resultiert aus der Selbstsicherheit, das Richtige zu tun, und aus dem Erfolg – mit vielen Schreinern und Zimmerleuten als treuen Kunden.

Ein Messerschleifer vervollkommnet die Klingen mit seinem Schliff. Das Ergebnis sind wunderschöne, extrem schnitthaltige und exakte Hobelmesser, deren Qualität zu den besten Japans, vielleicht sogar weltweit, zählt. Nicht weniger bemerkenswert sind die ebenfalls aus einem Stück geschmiedeten ausgesprochen ästhetischen Handwerkermesser, welche fast zu schön sind, um damit zu arbeiten.

千
代
鶴
貞
秀
工
房

I Alle Arbeitsschritte nach dem groben Schmieden in Ono erfolgen in der Werkstatt in Miki.
II Die glühende Klinge wird im Wasserbad gehärtet.
III Chiyozuru Sadahide II verbindet per Federhammer den weichen Eisenkörper (*jigane*) mit der harten Schnittkante (*hagane*).

IV Werkzeuge lehnen an der Wand neben dem Wasserbecken, in dem eine glühende Klinge abgeschreckt wird.
V Chiyozuru Sadahide III prüft eine Klinge, ringsum sind Ambosse eingelassen.
VI Im verdunkelten Raum lässt sich die Temperatur des Metalls in der Glut besser erkennen.
VII Die Esse in der Werkstatt in Miki.

VIII Der Tempelbauer Katsumi Yamamoto nutzt ausschließlich Hobelmesser von Chiyozuru Sadahide.
IX Chiyozuru Sadahide II und sein Nachfolger Chiyozuru Sadahide III.
X Spanbrecher (links) und Hobelmesser mit den eingemeißelten Namen Chiyozuru, seinem früheren Handwerkernamen Naohide und dem

Meisternamen Sadahide (von rechts nach links).
XI Das Handwerkermesser und der Löffel für Grüntee strahlen den Charakter von rohem Metall aus.
XII Das weichere Eisen und der harte Kohlenstoffstahl der Schneide lassen sich gut erkennen.
XIII Die fein gearbeiteten Brieföffner erinnern an zarte Bambuszweige.

Bestimmen der Außenform des Hobel-messers an der Schleifmaschine.

Glattschmieden und Tempern der glühen-den Klinge.

Beseitigen von Unebenheiten und Deko-rieren mit dem Hammer.

二代目鶴貞秀 **Chiyozuru Sadahide II,** geboren als Iwao Kanki, trägt den Handwerkernamen in der zweiten Generation der Schmiedelinie Chiyozuru, bekannt für ihre hoch-wertigen Klingen für japanische Holzhobel. Er erlernte die Schmie-dekunst von seinem Vater Chiyo-zuru Sadahide.

三代目鶴貞秀 **Chiyozuru Sadahide III,** geboren als Naoki Morita, wurde 2019, nach mehr als 14 Jahren Lehre, die Ehre zuteil, den Namen offiziell in dritter Generation weiter-führen zu dürfen.

Der Name Chiyozuru entstand mit Hiroshi Katō (1874–1957), einem der berühmten Schmiede für Hobel-messer der Shōwa-Zeit (1926–1989). Seine Vorfahren dienten jahrhun-dertelang dem Uesugi-Clan als Schwertschmiede. Der Legende nach flog während der Richtfest-Zeremonie für die Burg Chiyoda, einem Teil des heutigen Kaiserpa-lasts in Tokyo, ein Kranich drei Tage und Nächte über den Dachfirst. So gab sich Hiroshi Katō den Hand-werkernamen Chiyozuru Korehide: „Chiyo" aus Chiyoda-jō, und „zuru",

„Wir möchten, dass die Menschen, die mit unseren hochwertigen Werkzeugen arbeiten, stolz darauf sind – das ist unbezahlbar. [...] Mein Traum ist eigentlich ganz einfach: Ich wünsche mir, dass mehr Menschen zu uns kommen und diese Arbeit machen. Ich möchte ihnen zeigen, dass, obwohl es heutzutage viele große moderne Fabriken gibt, die viele schöne Dinge her-stellen, die Fertigung hier begonnen hat, in Werk-stätten wie der unseren. Das ist der Ausgangspunkt von allem, der Herstellung von Waren. Ich hoffe, dass sich wieder mehr Men-schen dafür interessieren. Ich möchte nicht, dass diese traditionelle Arbeit eines Tages verschwindet. Ich wünsche mir, dass es weitergeht." Chiyozuru Sadahide III

abgeleitet vom japanischen Wort für Kranich (*tsuru*).

In Japan werden hochwertige Werkzeuge zur Holzbearbeitung meist von hochspezialisierten Hand-werkern kunstvoll per Hand ge-schmiedet. Die Schmiedetechniken wurden im alten Japan von den *Yamato kaji* (japanische Schmiede) entwickelt und noch heute für Hobelmesser, aber auch für Stech-beitel, Scheren usw. angewendet. Schmiede, die eine besonders hohe Qualität fertigen wollen, nutzen gerne Eisen aus dem 19. Jahrhun-dert von alten Schiffskesseln, Schie-nen, Ankerketten oder Brücken, welche alle benötigten Eigenschaf-ten in idealer Weise vereinen.

„Als mein Vater nach Tokyo ging, um seinen zukünfti-gen Meister Chiyozuru Korehide zu bitten, ihn zu unterrichten, sagte dieser ihm zunächst: ‚Wenn du bei mir in die Lehre gehst, wirst du ein Leben in Armut füh-ren, wie ich es getan habe. Gib auf und geh heim nach Banshū.'" Chiyozuru Sadahide II

Exaktes Prüfen der konkaven Form der Hobelklinge.

Glätten des Metallübergangs mit einem zweihändigen Zugmesser.

Freihändiges Gravieren des Handwerker-namens per Hammer und Meißel.

Chiyozuru Sadahide Studio

千代鶴貞秀工房

Chiyozuru Sadahide Studio

千代鶴貞秀工房

千代鶴貞秀工房

Kobayashi Shikki

**In langer Tradition,
überlagernd, kontrastierend,
behutsam erneuert**

III IV
V VI   **Kobayashi Shikki**

Normalerweise wäre Staub auf einem frisch lackierten Werkstück eine Katastrophe, doch hier lässt man Kohlepulver oder Samenkörner auf feuchte Lackflächen rieseln, um sie nach dem Aushärten wieder abzuschaben. Auch andere ungewöhnliche Hilfsmittel werden für traditionelle Lackwaren des *Tsugaru nuri* genutzt, der nördlichsten Variante des japanischen *urushi*-Handwerks aus der Region Tsugaru. Die fein ziselierten polychromen Muster werden ausschließlich per Hand aufgetragen. Kobayashi Shikki, ein Familienbetrieb aus Hirosaki, Präfektur Aomori, fertigt sie bereits in der sechsten Generation.

Die zunächst gar nicht so historisch wirkende Technik entstand zu Beginn des 18. Jahrhunderts. Damals hatten *Tsugaru nuri*-Objekte einen hohen Wert als Statussymbole für Feudalherren oder Samurai, welche beispielsweise lackierte Schwertscheiden oder Rüstungen trugen. Heute zieren die Variationen dieser Lackkunst vielfältige Gegenstände des Alltags, von Tischen, über mannigfaltige Boxen bis hin zu Schalen, Bechern, Essstäbchen oder Accessoires wie Schmuck und sogar Smartphone-Hüllen.

Die zu lackierenden Gegenstände bestehen meist aus speziellen Holzwerkstoffen oder bestimmten Hölzern, die die Lackkünstler von spezialisierten Zulieferern beziehen. Eine zuerst aufgetragene Grundierung mit speziellen Stoffen oder Papier macht das dünnwandige und leichte Holz stabil, doch erst durch die vielen *urushi*-Schichten wird es unempfindlich gegenüber der Beanspruchung durch den alltäglichen Gebrauch. Die eigentlichen Materialien verschwinden dabei vollständig unter der schützenden Lackierung.

Urushi härtet nur bei geeigneten Temperaturen und hoher Luftfeuchtigkeit durch Polymerisation aus. Daher müssen die Werkstücke nach jeder neu aufgetragenen Lackschicht bis zu 24 Stunden in feucht gehaltenen Trockenschränken lagern. Komplexe Muster benötigen bis zu 50 Arbeitsschritte und bis zu 90 Tage. Spuren des Lacks finden sich in der ganzen Werkstatt, auf

Die Familie Kobayashi und ihre Mitarbeiter vor dem Eingang zum Laden.

den niedrigen Arbeitstischchen und dem Boden, den Schiebetüren der Trocknungsschränke und den Brettern für die frisch lackierten Stücke.

Es gibt vier grundlegende Stilrichtungen für *Tsugaru nuri*. *Kara nuri* ist ein Muster aus marmorierten Kontrastfarben, welches mit einer Art gelochten Schablone appliziert wird. Danach werden weitere Farbschichten aufgetragen und nach dem Aushärten wieder abgeschliffen, gefolgt von einem Klarlack und dem Polieren. Das Ergebnis sind lebhafte Dekore, in denen alle Lackschichten teilweise sichtbar bleiben.

Nanako nuri ist ein zweifarbiges, an Fischrogen erinnerndes Muster, das sich durch unzählige kleine Ringe auszeichnet und durch in feuchten *urushi*-Lack gestreute Rapssamen erzeugt wird. Nach deren Abschaben wird eine Kontrastfarbe überlackiert. Alles wird geschliffen, klar lackiert und poliert. *Nanako nuri* gibt es in zahlreichen Farbkombinationen.

Monsha nuri hat glänzende Details in einer mattschwarzen Oberfläche, für die Kohlepulver genutzt wird, und *nishiki nuri* zeichnet sich durch aufwendige Arabesken oder buddhistische Muster auf einem Untergrund aus *nanako nuri* aus.

Auch wenn sich Kobayashi Shikki einer recht traditionellen Lackkunst verschrieben haben, entwickeln sie regelmäßig neue Muster und Produktideen. Sie haben erkannt, dass sich auch ein traditionelles Handwerk erneuern muss, um künftige Kunden anzusprechen.

小林
漆
器

I   Hirosaki liegt östlich am Fuß des Iwaki, einem aktiven Vulkan.
II   Rapssamen rieseln für das Muster des *nanako nuri* auf einen frisch lackierten Servierteller.
III   Detail eines Tellers in schwarzem *nanako nuri* mit roten Highlights.
IV   Hisae Kobayashi an ihrem bevorzugten Arbeitsplatz, an dem sie kleinere Objekte wie Essstäbchen bearbeitet.

V   In den unterschiedlichsten Mustern und Farben lackierte Essstäbchen.
VI   Takayuki Kobayashi zwischen den niedrigen Arbeitsplätzen der Mitarbeiter.
VII   Auf der elektrischen Töpferscheibe werden die Lackschichten der runden Werkstücke geschliffen.

VIII   Ein Mitarbeiter lackiert einen flachen Wohnzimmertisch.
IX   *Urushi* wird direkt auf der Arbeitsfläche mit dem dreieckigen Spatel (*hera*) gemischt.
X   Masakazu Kobayashi mit *urushi*-lackierten Stücken vor dem geöffneten Trocknungsschrank.
XI   Behälter und Schale mit einem dreifarbig marmorierten Muster des *kara nuri*.

XII   Zweifarbig in Sepia und Grau lackierte Lunchbox (*jūbako*) mit kontrastierenden Essstäbchen.
XIII   Tablett, Schale und weitere Objekte mit rotem *nanako nuri* und schwarzem *monsha nuri*.

Filtern des *urushi*-Lacks durch Verdrehen in sehr feinem *washi*-Papier.

Stempeln der ersten Musterschicht für *kara nuri* mit einer Schablone.

Auftragen des dünnen Lacks auf eine Schale mittels Pinsel (*hake*).

小
林
孝
幸
Takayuki Kobayashi, die fünfte Generation der Familie, stieg schon nach der Oberschule in den Familienbetrieb Kobayashi Shikki ein. Sie sind Kunsthandwerker für *Tsugaru nuri*, die traditionellen *urushi*-Lackwaren aus der alten Burgstadt Hirosaki, Präfektur Aomori. Nachdem er alle Bereiche der Werkstatt inklusive des Verkaufs durchlaufen hatte, lernte er auch die aufwendige Herstellung des lokalen Lackwarenstils von seinem Vater.

小
林
正
知
Masakazu Kobayashi, die sechste Generation, war zunächst für einen größeren Konzern tätig. Nach einem Praktikum im Familienbetrieb entschied er sich die Familientradition weiterzuführen.

Der Betrieb wurde am Ende der Edo-Zeit (1603–1868) um 1830 von den Vorfahren der Familie Kobayashi gegründet und wird heute vom Ehepaar Kobayashi und dessen Sohn geführt. Die Familie versucht, den traditionellen Stil behutsam weiterzuentwickeln und neue Produkte zu kreieren und wird dabei von drei Mitarbeitern beim aufwendigen

„Die Inspiration für neue Muster oder Designs kommt bei der täglichen Arbeit oder auch bei einem Schluck Sake. *Kara nuri* im *Tsugaru nuri* ist besonders interessant, weil es eine so große Vielfalt bietet und sich mehr als 10.000 verschiedene Lackkombinationen realisieren lassen." Masakazu Kobayashi

„Je nachdem, wie man Essstäbchen verwendet, halten diese 15 bis 20 Jahre, allein weil sie mit etwa 30 Schichten lackiert wurden. Meine Hoffnung ist, solche Dinge auch in Zukunft zu machen. Wir wollen Dinge schaffen, die für unser tägliches Leben notwendig sind, Dinge, die die Menschen mögen und an denen man auch die Handschrift des Herstellers sehen kann." Takayuki Kobayashi

Lackieren, Schleifen und Polieren der *Tsugaru nuri*-Waren unterstützt.

Der in Japan *urushi* genannte Pflanzensaft des Lackbaums (*Toxicodendron vernicifluum*) ist einer der ältesten von der Menschheit genutzten pflanzlichen Rohstoffe. Er wird in vielen ostasiatischen Regionen gewonnen und unter anderem nach Japan exportiert. Zudem werden geringe Mengen noch in einigen Regionen des Landes produziert. Hierfür werden die Stämme während des Sommers regelmäßig angezapft und der austretende Saft wird von spezialisierten *urushi*-Sammlern aufgefangen.

Früher wurde für ein kräftiges Rot klares *urushi* mit Eisenoxid und Zinnober vermischt, Schwarz wird traditionell durch das Beimengen von organischem Ruß erzeugt. Heute nutzt man für die vielfältigen Farben meist synthetische Farbzusätze.

In diesem Handwerk ist es zusehends schwieriger geworden, gutes Werkzeug zu finden, insbesondere die speziellen Pinsel aus Menschenhaar und bestimmten Tierhaaren werden nur noch von wenigen Handwerkern hergestellt.

Streuen von Kohlepulver auf den feuchten Lack für *monsha nuri*.

Abschaben der angetrockneten Rapssamen für *nanako nuri*.

Herausarbeiten der Lackschichten mit Schleifpapier und einem Schwamm.

Kobayashi Shikki

小林漆器

小林
漆器

Junko Yashiro

Inspiriert vom Wuchs,
veredelt durch Details in
kumulierter Tiefe

III IV
V VI

Junko Yashiro

八代 淳子

　　　　　　　　　　Junko Yashiro

Die Werkstatt einer Kunsthandwerkerin würde man in den Wäldern rund um das noble Karuizawa eher nicht erwarten. Doch an dem ruhigen, wunderschönen Ort, an dem sich Junko Yashiro mit ihrer Familie niedergelassen hat, scheinen sich Berufung und Familie auf ideale Weise vereinen zu lassen.

Junko Yashiro zeigte früh Interesse an *urushi*-Arbeiten und studierte das Handwerksfach an der Kunsthochschule in Tokyo. Sie mochte es, Dinge mit den eigenen Händen zu erschaffen, sah sich aber lange Zeit nicht als Künstlerin. Der Wandel kam mit dem Besuch einer Ausstellung des Lackkünstlers Mashiki Masumura. Als sie seine Arbeiten sah, die sie bislang nur aus Büchern kannte, zeigte sie sich trotz des traditionellen Stils sehr beeindruckt. Auch die Stücke Tatsuaki Kurodas inspirierten sie durch seine Definition von Schönheit.

Die Persönlichkeit und Einstellung des Lackkünstlers Isaburō Kado war für sie eine weitere Quelle der Inspiration. Er sieht seine Arbeiten erst dann als vollendet an, wenn sie in die Hand genommen, berührt und benutzt werden. So verschrieb sie sich der Kreation eigener, zeitloser und langlebiger Stücke für den täglichen Gebrauch. *Urushi*-Lackwaren gewinnen mit der Zeit sogar noch an Schönheit, gerade wenn Spuren des Gebrauchs sichtbar werden.

Diese und ähnliche Details aus der japanischen Ästhetik scheinen den Menschen in Japan dabei zu helfen, den Wert des Kunsthandwerks wieder neu schätzen zu lernen und die Arbeiten von Kunsthandwerkern mit eigenen Händen spüren zu wollen, wie seit einigen Jahren bei Lackwaren zu beobachten ist.

Entgegen der traditionellen Arbeitsweise mit *urushi*, bei der die Arbeitsschritte getrennt ausgeführt werden, entwirft und fertigt Junko Yashiro die Formen aus Holz, ihre Oberflächen und das Finishing komplett selbst. Die Inspiration hierfür bezieht sie aus Magazinen und Büchern, von der Natur vor ihrer Haustür und von dem zu bearbeitenden Holz selbst. Kommt ihr etwas in den Sinn, fertigt sie Skizzen an, ist die Idee lange genug gereift, beginnt sie mit deren handwerklicher Umsetzung.

Die am wenigsten erwarteten Werkzeuge zur Oberflächenbear-

Eine spannende Koinzidenz der Detailverliebtheit zeigen die zahlreichen Miniaturen von Flugzeugen, diversen Fahrzeugen und einem Hai. Ihr Mann Takeshi Yashiro, der als Stop-Motion-Künstler und Filmregisseur in Tokyo arbeitet, baut sie gerne am Wochenende zusammen mit dem Sohn aus Wellpappe.

beitung der Stücke sind sicher ihre elektrischen Kettensägen. Eine dient dem groben Herausarbeiten von Volumina, die scharfen Zähne der anderen ziehen zufällig aussehende Riefen in die Oberflächen der Objekte. Die runden Reisschalen, Sake-Kannen, Sojasaucenspender oder Dosen für Grüntee dreht Junko Yashiro auf einer speziellen Kopfdrehbank, andere Stücke bearbeitet sie mit Messer, Stechbeitel und Hammer.

Die Arbeitsfläche für die Lackarbeiten hat durch das Anmischen von Lacken mit schwarzen Zusätzen eine tiefschwarze Farbe angenommen. Hierfür liegen Spatel auf dem Tisch, das *urushi* steht in Gebinden daneben. Zum Auftragen werden in Japan idealerweise Pinsel aus Menschenhaar genutzt, und ein von ihr aus einem Bambusrohr gemachtes Sieb hilft beim Auftragen des präferierten Zinkpulvers.

Die hohe Kunstfertigkeit der traditionellen Lackstile weiß Junko Yashiro zu schätzen, doch ihr eigener Stil hat sich bezahlt gemacht. Er ist geprägt von tiefem Schwarz mit Pigmenten aus Pinienruß und silbrig-warmen Oberflächen. Das zur Verstärkung eingearbeitete Papier und die Riefen von Säge und Beitel bleiben erkennbar. Durch das dünn aufgetragene *urushi* und das Abtragen frischen Lacks erscheinen die Stücke bewusst unperfekt – eine unergründliche Detailtiefe mit variierender Oberflächenbeschaffenheit, gepaart mit Formen, die ihrem außerordentlichen Gefühl für Proportionen entspringen.

八代 淳子

I Das Wohnhaus der Familie inmitten von Bäumen.
II *Urushi* wird mit speziellen kurzhaarigen Pinseln aufgetragen.
III Junko Yashiro verstärkt ein Objekt mit handgeschöpftem Papier.
IV Angelutensilien ihres Mannes und Zeichnungen des Sohns.

V *Urushi*-Topf, Ruß und weitere Materialien im Lackstudio.
VI Eine Paste wird für Grundierungsarbeiten (*shitaji*) mit *urushi* angemischt.
VII Die *urushi*-Lackierung der Dielen endet ganz bewusst in ihrem Studio.

VIII Zwei mit *urushi* lackierte Behälter. Der größere ist für Grüntee.
IX Junko Yashiro in ihrem Studio für Lackarbeiten.
X Flache rechteckige Schale, die mit der Kettensäge bearbeitet wurde.

XI Schalen (*katakuchi*) und Kannen mit Deckel (*chūki*) zum Reichen von Sake.
XII Zwei kleine Becher und eine offene Kanne für Sake.
XIII Tabletts mit Schüssel, Becher und einer Dessertplatte.

Bearbeiten einer kleinen Schüssel aus Vollholz auf der speziellen Kopfdrehbank.

Grobes Bearbeiten einer Holzschüssel mit einem Stechbeitel.

Oberflächenbearbeitung einer Holzschale mit einer speziellen Kettensäge.

八代淳子 Junko Yashiro ist eine eigenständige, designbegabte Holz- und urushi-Künstlerin, die mit ihrer Familie in Karuizawa, im Osten der Präfektur Nagano lebt. Sie machte ihren Abschluss in Urushi Arts, Department of Crafts, an der Tokyo University of the Arts.

Nach ihrer Ausbildung wusste sie nicht so recht, wie es weitergehen würde. Der Erfolg kam, als sie begann, ihre eigenen Ideen konsequent umzusetzen. Sie gestaltet, fertigt und grundiert alle Holzformen für ihre modernen Tableware-Linien selbst und bearbeitet anschließend die Objekte mit den unterschiedlichsten Lacktechniken. Die Arbeiten verkauft sie über Galerien und in Einzelausstellungen, sie fertigt aber auch auf Bestellung, beispielsweise für die gehobene Gastronomie.

Die Verwendung des karamellfarbenen Safts des ostasiatischen Lackbaums (Toxicodendron verniciifluum), in Japan urushi genannt, lässt sich bis ins vierte Jahrtausend v. Chr. zurückverfolgen. Ursprünglich wurde urushi zum Schutz auf die Holzwaren aufgetra-

„Ich habe keine bevorzugte Region oder keinen bevorzugten Stil für japanische urushi-Arbeiten, weil es so viele verschiedene Perspektiven gibt, aus denen man sie betrachten kann. Seit fünf oder zehn Jahren treten wieder mehr junge urushi-Künstler mit neuen Arbeiten in Erscheinung, und ich mag diese Bewegung sehr. Es ist gut für die Herstellung von alltäglichem Geschirr, anstatt nur Museumsstücke zu schaffen. [...] Als ich anfing, beschloss ich, mich Objekten zu widmen, die zeitlos sind und die man ewig nutzen kann. Es waren nicht die Arbeiten an sich von diesen beiden Künstlern [die mich beeinflusst haben], sondern das Konzept der Zeitlosigkeit dahinter, das mich inspiriert und mit der Idee erfüllt hat, selbst Künstlerin zu sein."

gen. Über einen langen Zeitraum entwickelte sich in Japan eine eigene Form des Kunsthandwerks mit vielen verschiedenen Stilrichtungen. Der Lack härtet in feuchter, warmer Atmosphäre durch Polymerisation aus. Er bleibt dauerhaft elastisch und widerstandsfähig gegenüber Feuchtigkeit, Alkoholen, Säuren und Lösemitteln und zeichnet sich durch besonderen Glanz und Tiefe aus, die sich nicht künstlich reproduzieren lassen. Aufgrund seiner Lebensmittelechtheit ist urushi prädestiniert für Tafelgeschirr.

„Ich mag es, einige Unvollkommenheiten in meine Arbeiten einfließen zu lassen – wie einen Riss, eine Art Raum zum Atmen, in den ansonsten perfekt lackierten Oberflächen. Die Farbe und Textur von Zinnpulver passen sehr gut zu meinen Arbeiten, weil sie dadurch irgendwie unvollkommen wirken."

Dünnes Leinen als Verstärkung einer Box wird mit urushi getränkt.

Eine Paste aus urushi und Bindemitteln glättet Unebenheiten.

Aus einem Siebröhrchen wird Metallpulver in feuchten Lack gestreut.

Junko Yashiro

八代　淳子

八代　淳子

Yanase Washi

**Zarte Fasern, in
synchronen Bewegungen,
federleichte Kunst**

Yanase Washi

やなせ和紙

Es ist eisig kalt in der hohen Werkhalle des alten Holzgebäudes, erbaut für die Papierproduktion. Man spürt den Winter hier in jedem Knochen und fühlt mit den beiden Handwerkerinnen, die mit geschickten Bewegungen des großen Schöpfsiebs scheinbar unbeeindruckt Bogen um Bogen aus der großen Bütte schöpfen.

Kalt ist hier vor allem das allgegenwärtige Wasser, rein, weich und in großen Mengen aus der eigenen Quelle sprudelnd. Ein natürliches Vorkommen, das die ursprünglich fünf kleinen Gemeinden in den Hügeln der Präfektur Fukui zu schätzen wissen. Der Legende nach erschien den Dorfbewohnern im Fluss Okamoto eine Prinzessin und lehrte sie die Kunst der Papierherstellung. Seitdem wird sie als Kawakami Gozen, die Gottheit des Papiers und Hüterin der Papierproduktion, in ganz Japan verehrt. Heute ist Echizen eines der drei wichtigsten Zentren für die Produktion echten *washi*-Papiers.

Der Schöpftrog für das große *fusuma*-Papierformat, genutzt für die Bespannung traditioneller Schiebetüren, ist etwa 3 × 2 m groß. Den in der Mitte aufgehängten Holzrahmen mit eingelegtem Bambussieb bedient ein Zweierteam. Vor dem Schöpfen wird der Faserbrei aus vorbereiteten Pflanzenfasern und dem von der Tororo-aoi-Wurzel abgesonderten Sekret (*neri*, siehe Seite 99) im mit Wasser gefüllten Trog von Rührmaschinen und per Hand gleichmäßig verteilt. Das Schöpfen selbst erfolgt durch mehrfaches Eintauchen der Siebenden in die Bütte und gleichmäßiger

五箇に生まれて紙漉き習うて、横座弁慶で人廻す。

神の授けをそのまま継いで、親も子も漉く孫も漉く。

七つ八つから紙漉き習うて、ネリの合い加減まだ知らぬ。

Traditionelles Papiermacherlied aus Echizen:

„Geboren in Goka, erlernte [ich] die Papierherstellung, leite jetzt eine Papierwerkstatt.

Durch die Weitergabe des Wissens, das die Gottheit uns geschenkt hat, machen auch Eltern, Kinder und Enkelkinder Papier.

Erlernte die Herstellung von Papier seit dem Alter von sieben oder acht Jahren, weiß [ich] immer noch nicht genug über die perfekte Mischung von neri."

Verteilung des wässrigen Faserbreis auf der Siebfläche durch schwingende Bewegungen.

Um die nachfolgenden Schritte kümmern sich meist Vater und Sohn. Sie platzieren den Stapel aus tropfend nassen Bögen in einer Hydraulikpresse, um den Wasseranteil in den Schichten zu reduzieren. Am nächsten Tag wischen sie mit nur wenigen raschen Kommandos, einer synchronen Choreografie gleich, die noch feuchten *fusuma*-Papiere auf große Bleche, damit diese die Restfeuchte im Trockenschrank verlieren können. Die getrockneten Bögen bekommen den finalen Zuschnitt im Papierlager unter dem Dach.

Ein vergleichbarer Zusammenhalt wie bei der Familie Yanase war bei Handwerkern in früheren Zeiten eine Notwendigkeit. Man gab seinen guten Namen und das gesamte Fachwissen über Jahre an die nächste Generation weiter, damit die eigenen Kinder, ein guter Lehrling oder sogar Adoptivkinder auch die eigene Zukunft im Alter sichern konnten. So wird dies oft noch heute in Japan gehandhabt, insbesondere in den sehr traditionellen Handwerksberufen, und umso schwerer wiegt das Nachwuchsproblem.

Haruo und Fujiko Yanase scheinen daher sehr froh über die Initiative ihres jüngsten Sohns zu sein, ihnen im eigenen Betrieb nachzufolgen, nicht zuletzt, weil sie so viel Zeit mit ihm verbringen können. Im Arbeitsalltag herrscht eine vertraute und familiäre Atmosphäre, welche sich nicht zuletzt auf die relativ eng mit der Familie verbundenen Angestellten überträgt.

やなせ和紙

I   Eine schmale Gasse führt von der Werkstatt zur Straße.
II   Nach dem Schöpfen von *fusuma*-Bögen für traditionelle Schiebetüren (90 × 180 cm) wird aufgeräumt.
III   Papierlager und Platz zum Schneiden und Verpacken.
IV   Die Familie Yanase mit der Belegschaft an der Treppe zum Papierlager.
V   Zusätzliche Fasern werden für *fusuma*-Bögen auf das Sieb geschöpft.
VI   Fujiko Yanase an der archaischen Stampfe für die Tororo-aoi-Wurzeln.
VII   Shō Yanase löst das getrocknete Papier mit einem Bambus-Spatel.
VIII   Einige strukturierte Spezialpapiere trocknen an der Luft.
IX   Zahlreiche Rollen mit *fusuma*-Papier im Lager.
X   Yanase Washi fertigt auch individuelle farbige oder strukturierte Dessins.
XI   *Fusuma*-Bogen und mittels Schablone oder Wassereffekt gemusterte Papiere.
XII   Die Box aus Papier wird zusätzlich mit schwarzem *urushi* lackiert.
XIII   Für die „cobble" Boxen werden Papierfasern über Formen gelegt. Design: Ateliers Yoshiki Matsuyama.

Zwei Mitarbeiterinnen schöpfen *fusuma*-Bögen mit dem großen Schöpfsieb.

Geschöpfte Bögen werden mit dem Bambussieb auf einem Stapel abgelegt.

Für dicke oder farbige Spezialpapiere gießt man die Papierlösung auf das Sieb.

柳
瀬
晴
夫
Haruo Yanase übernahm als junger Mann die Papierwerkstatt seines Vaters, ein traditionsreiches Familienunternehmen in einer der historischen Papierregionen Japans. Er ist aktiv in der Vereinigung der Papiermacher Echizens und auch bei den jährlichen Feierlichkeiten für die Papiergöttin Kawakami Gozen in den lokalen Shinto-Schreinen involviert.

柳
瀬
藤
志
子
Fujiko Yanase, Haruos Frau, koordiniert oft die Auftragsabwicklung und übernimmt die Entwicklung kleinerer Papierformate und individueller Dekorationen. Sie ist Teil der Kooperative lokaler Papiermacherinnen „Echizen Megami Kurabu" (Club der weiblichen Papiere / Göttinnen in Echizen).

柳
瀬
翔
Shō Yanase, der jüngste von drei Söhnen der Familie Yanase, ist voll in den Handwerksbetrieb integriert. Er engagiert sich in einer unabhängigen Gruppe junger Papiermacher.

Seit mehr als 1.500 Jahren ist das Handwerk der manuellen Papierherstellung sehr wichtig für das japanische Selbstverständnis. Auch in

Echizen fertigt man das Papier dabei aus der Rinde von Kōzo (Papiermaulbeerbaum), Mitsumata, Ganpi oder auch Hanf. Verwendung und Formate sind unterschiedlich. *Hosho*-Papier nutzt man für Farbholzschnitte (*ukiyo-e*) und Urkunden, das sehr feine *gasenshi* für Kalligrafie oder Malerei und das dickere *koma-gami* für Sake-Labels, Briefumschläge und Ähnliches. Seit einigen Jahren hat sich der Austausch innerhalb der Gilde verstärkt, um die Zukunft der Papiermacher gemeinsam zu gestalten. Dabei werden auch neue Ideen für ein modernes Design und neue Anwendungen von Papier aufgegriffen.

„Seit ich verheiratet bin, freue ich mich immer über die handwerkliche Arbeit. Ich bin stolz auf diese Arbeit. Körperlich ist es oft schwer, besonders wenn es sehr kalt ist, aber ich empfinde auch Freude bei der Arbeit. Ich möchte die Technik, das Design, alles an *Echizen washi* lebendig halten." Fujiko Yanase

„Ich weiß nicht, wie es in der Welt des *washi* aussieht, aber ich kenne die aktuelle Situation meines Unternehmens. Früher konnte ich den ganzen Tag *fusuma washi* herstellen, aber heute wird westliches und japanisches Design oft zusammen in einem Haus angewandt – und es gibt oft weniger Schiebetüren. Deshalb bekommen wir nicht mehr so viele Bestellungen für *fusuma washi*. Die Produktion nimmt ab. Daher versuchen wir in der Zwischenzeit, neue Produkte zu entwickeln. [...] Das zu 100 Prozent handgefertigte *washi*, unser *fusuma washi*, wird auch bei der Restaurierung von Tempeln, Schreinen und Gebäuden des nationalen Kulturerbes sowie in exklusiven japanischen Restaurants eingesetzt." Haruo Yanase

Vater und Sohn bürsten vor dem Trockenschrank feuchte Bögen auf Metallbleche.

Herausstehende Fasern werden akribisch gesucht und mit kleinen Nadeln entfernt.

Getrocknete Bögen werden abgezogen und auf einen Stapel gelegt.

Yanase Washi

やなせ和紙

Yanase Washi

Atelier Kawahira

Fasern in Unordnung
verschlungen durch Bewegung,
aufsteigender Dampf

工房かわひら

In der Region Hamada vereinen Familien auf traditionelle Weise zwei saisonale Betätigungen: In den warmen Monaten bauen sie Reis an, im Winter schöpfen sie das kräftige und widerstandsfähige *Sekishū washi*, das regionale Papier, aus den langen und stabilen Fasern selbst kultivierter Kōzo-Sträucher. Steile, verschlungene Wege führen von der hügeligen, rauen Küste in ein versteckt liegendes, tief eingeschnittenes Seitental, wo umgeben von dichtem Waldbestand die Familie Kawahira lebt.

Der alte Arbeitsschuppen duckt sich neben das große Wohnhaus. Ein schmaler Weg führt zu zugigen Räumen, in die nur wenig Tageslicht durch kleine Fenster fällt. Die geräumige Werkstatt mit großen Trögen zum Schöpfen findet sich im modernen Holzbau gegenüber.

Die Kōzo-Zweige werden im Dezember und Januar auf den Feldern geschnitten und danach gedämpft. Anschließend wird die Rinde abgelöst, die äußere dunkle Schicht wird entfernt und die Baststränge werden gewaschen und getrocknet.

Um die anderen Bestandteile von der Zellulose abzulösen, werden die Fasern in alkalischer Lösung gekocht, wofür Atelier Kawahira traditionell Kalklauge nutzt. Es ist ein ungemein archaischer Vorgang, der ein wenig aus der Zeit gefallen scheint. Unter der grob gemauerten Feuerstelle heizt fauchend ein alter Ölbrenner, Unmengen beißenden Dampfs entsteigen dem offenen Kochkessel, weißer Schaum quillt in dicken Blasen empor und fließt über

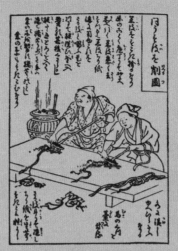

Abschaben des äußeren Teils der Kōzo-Rinde. Zeichnung aus Jihei Kunisakis *Kamisuki Chohoki* (1798), Japans älteste Anleitung für die Papierherstellung.

den Rand. Lediglich Umrisse sind zu erkennen, man bekommt kaum Luft. Mittendrin steht Isao Kawahira, lange Stäbe mit krallenartigen Haken in den Händen, und stochert in der lavaartig blubbernden Lauge nach seinen Kōzo-Fasern. Nur eine einzelne schwache Glühbirne erhellt das surreal anmutende Szenario.

Um die Fasern vor dem Papierschöpfen voneinander zu lösen, wird der gekochte Bast traditionell mit einem Eichenstock geschlagen, was aber auch mit maschineller Unterstützung in speziellen Becken durchgeführt werden kann. Einige Wurzeln der *Abelmoschus manihot*-Pflanze, Tororo-aoi, werden zerstampft, wobei sich ein besonderer

Schleim absondert, den man *neri* nennt. Dieser bewirkt die gleichbleibend homogene Verteilung der Kōzo-Fasern in der Schöpflösung. Beim Schöpfen wissen Vater und Sohn genau, wann sich die richtige Menge an Fasern gleichmäßig auf dem feinen Bambussieb (*suki su*) verteilt hat, je nach gewünschter Dicke des Papierbogens. Zum Abrollen des nassen Bogens auf dem Papierstoß entnimmt man das Sieb dem Hinoki-Holzrahmen (*suki keta*). *Neri* sorgt auch für die Trennung der einzelnen Bögen untereinander, weshalb sie einfach übereinandergelegt werden können. Eine Spindelpresse drückt das überflüssige Wasser aus dem fertigen Stapel. Am nächsten Tag werden die Bögen auf beheizten Metallflächen getrocknet oder für das Trocknen an der Sonne auf Holzflächen aufgezogen.

Insgesamt ist sich die Familie ihrer speziellen Lebensweise als Reisbauern und Papiermacher sehr bewusst. Sie möchte die ökonomische Balance halten und zugleich unabhängig bleiben. Wichtig ist ihr, das überlieferte Wissen und die traditionellen Techniken am Leben zu erhalten. Masao Kawahira, der Vater, gab das Fachwissen nicht nur an seinen Sohn weiter, sondern in jüngeren Jahren auch an die Papiermacher in Bhutan. Den Trend im Kunsthandwerk, sich sowohl den Rohmaterialien und deren Verarbeitung als auch den fertigen Produkten zu widmen, lebt er seit Jahrzehnten. Sein Sohn Isao Kawahira setzt in seiner Arbeit zusätzliche Impulse durch Kooperationen mit Designern.

工房かわひら

I   Im dichten Wald hinter dem Wohnhaus leben einige Wildschweine.
II   Papierbögen entstehen durch das Schöpfen des wässrigen Faserbreis auf das Bambussieb.
III   Die feuchten Bögen trocknen schnell auf den mit Feuer erhitzten Metallflächen.
IV   Frisch geschnittene Kōzo-Zweige warten auf das erste Dämpfen.

V   Masao Kawahira neben der neuen Werkstatt, er trägt eine traditionell geschnittene Jacke aus Papiergarn.
VI   Die alte Werkstatt neben dem Wohnhaus der Familie.
VII   Die Papierwerkstatt mit der Presse (links) und dem Schöpftrog (rechts).

VIII   Vor dem Kochen in Kalklauge wird der Bast gewaschen.
IX   Isao Kawahira neben der alten Werkstatt, in der Kōzo-Bast gekocht wird.
X   Eine Rolle mit 40 Papierbögen *Sekishū-banshi* auf einigen Kōzo-Zweigen.
XI   Der niedrige Stapel mit 200 Bögen verdeutlicht die geringe Papiergrammatur.

XII   Die Babyschuhe aus festem Papier gibt es in einem Set zum Selbernähen.
XIII   Zu Papiergarn gesponnene, eingefärbte Papierfasern.
XIV   Vom Schöpfen haben die unbeschnittenen Bögen ausgefranste Kanten, die Büttenränder.

Frisch geschnittene und gebündelte Kōzo-Zweige.

Der Bast wird mit dem Messer abgeschabt.

Der eingeweichte Bast wird in Kalklauge gekocht, was ziemlich archaisch anmutet.

川平正男 **Masao Kawahira** ist Oberhaupt des Familienbetriebs Atelier Kawahira in Misumi, Präfektur Shimane. Den Sommer nutzen sie zum Reisanbau, im Winter schöpfen sie *washi* aus den Fasern der Kōzo-Sträucher. Masao Kawahira arbeitete ursprünglich in einer Werft bei Hiroshima, begann dann aber bei seinen Eltern Papier zu schöpfen. Er verbrachte einige Zeit in Bhutan, wo er die Papierherstellung lehrte, und ist Vorsitzender der Sekishū-banshi Craftsmen's Association.

川平勇雄 **Isao Kawahira** arbeitete als Auktionator am berühmten Tsukiji-Fischmarkt in Tokyo. Auch er kehrte nach Misumi zurück, um die Familientradition aufzunehmen und mit großem Sendungsbewusstsein fortzuführen.

Atelier Kawahira stellen Kalligrafiepapier, Bögen für Urkunden, Papiere mit Wasserzeichen und Postkarten her. Außerdem beliefern sie Handwerker mit speziellem *washi*-Papier für Blattfächer (*uchiwa*) und Faltfächer (*sensu*). Sie haben zudem mit einem Designer Babyschuhe aus Papier entwickelt und spinnen

Papiergarn aus Kōzo-Fasern. Der Familienbetrieb ist heute einer von nur noch vier Papiermachern in Misumi, ehemals waren es Hunderte.

Sekishū washi aus der Region (ehemals Sekishū oder Iwami genannt, heute Teil der Präfektur Shimane) wird seit mehr als 1.300 Jahren mit nahezu unveränderten Techniken hergestellt. Verwendet werden Fasern von Kōzo (Papiermaulbeerbaum) und Mitsumata (*Edgeworthia chrysantha*) sowie vom nur wild vorkommenden Ganpi (*Wikstroemia*). Man nennt das Papier, das auf die UNESCO-Liste des immateriellen Kulturerbes der Menschheit gesetzt wurde, wegen seines Zuschnitts auch *Sekishū-banshi* ("halbe Sekishū-Bögen").

„Ich habe etwa zehn Jahre in Hiroshima gearbeitet und eine andere Welt gesehen, die nichts mit der Papierherstellung zu tun hat. Ein Kind muss von der Familie fortgehen und auf Schwierigkeiten stoßen, aber auch viel dabei lernen." Masao Kawahira

„Mein Vater ist mein Meister, aber manchmal habe ich die Möglichkeit, mir die Arbeit anderer Handwerker anzusehen und ich kann viel von ihnen lernen. Grundsätzlich ist es sehr wichtig, Fehler zu machen, um sich weiterzuentwickeln. Mein Vater erlaubt mir Fehler zu machen, und ich bin dankbar dafür. Wenn ich Papier herstelle, tue ich es mit großer Konzentration. Ich stelle sehr hohe Ansprüche an mich selbst. Mein Vater sagte nie: ‚mach dies' oder ‚mach es nicht so'. Ich lernte die Grundtechniken. Ich denke, es ist wichtig, weitere Techniken selbst zu erlernen. Ich bin auf dem Weg. Ich werde erst fertig sein, wenn ich sterbe. Bis dahin werde ich immer nach Herausforderungen suchen." Isao Kawahira

Im Wasserbad werden alle Verunreinigungen von den Faserstreifen entfernt.

Ein Rechen vermischt Kōzo-Fasern und *neri* im Schöpftrog.

Noch feuchte Bögen werden zum Trocknen an der Sonne auf Holzbretter aufgestrichen.

Atelier Kawahira

工房かわひら

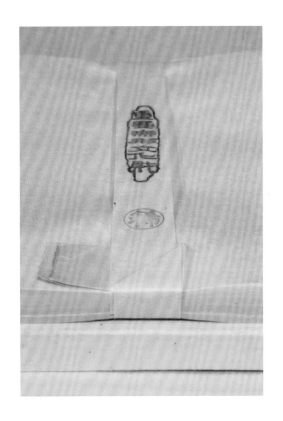

工房かわひら

XI XII
XIII XIV

Take Kobo Once

Elegantes Geflecht,
fein erblüht in idyllischer
Abgeschiedenheit

Take Kobo Once

竹工房オンセ

IV　V
VI　VII

Auf den schmalen steilen Straßen zum Studio von Masato Takae liegt zum Glück kein Schnee. Die zwei Blockhäuser sind von Wäldchen, Wiesen und Terrassenfeldern umgeben. Gebaut aus massiven Baumstämmen wirken sie wie aus einer anderen Welt in die Berge oberhalb Beppus versetzt. In dieser idyllischen Abgeschiedenheit fertigt der Kunsthandworker faszinierendes Flechtwerk aus Bambus, wie die traditionellen Bambuskörbchen (*chakago*) zum Aufbewahren von Utensilien für die Teezeremonie. Von ihnen ließ er sich zu den wunderschönen fein geflochtenen Handtaschen inspirieren, seine aufwendigsten und erfolgreichsten Produkte.

Als Masato Takae den Beruf vor über 30 Jahren ergriff, reizte ihn der gesamte Fertigungsprozess – die Transformation von langen linearen Gewächsen ohne großen spezifischen Wert in dreidimensionale Formen großer Schönheit, geflochten in geometrischen Mustern: kleine Handtaschen, große Shopper, stilvolle Körbe, naturbelassen oder in elegantem Schwarz, in extrovertiertem Rot oder in distinguiertem Dunkelbraun mit gewachster Oberfläche.

Durch wiederholtes Spalten und Verringern der Breite und Dicke werden die Bambusrohre zu dünnen flexiblen Streifen, ein Prozess, der etwa 50 Prozent der gesamten Arbeit ausmacht. Nach dem Abziehen der äußersten Schicht und dem Kürzen auf die benötigte Länge spaltet Masato Takae die Bambusstangen mit einem kräftigen Bambus-

Beim langwierigen Bau seines Blockhauses ab 1985 konnte Masato Takae auf die vielen helfenden Hände gut gelaunter Freunde und Kollegen zählen.

Arbeitsmesser oder einem radialen Spaltmesser. Danach zieht er die Bambusstreifen zwischen zwei spitzen scharf geschliffenen Werkzeugmessern hindurch, zum Brechen der Kanten und zum Festlegen der exakten Breite. Die Bestimmung der Streifendicke und das Weghobeln der Knoten erfolgt mittels einer Vorrichtung mit waagerechter Klinge. Das Ergebnis ist ein Bündel an identischen Streifen. Auffällig ist, dass alle genutzten Werkzeuge erstaunlich einfach und effizient sind.

Das folgende komplexe Flechten beginnt stets am Boden einer Tasche (oder eines Korbs) auf der Basis vorher berechneter Muster. Sobald die Fläche groß genug ist, wird sie mit Feuchtigkeit und Hitze dauerhaft nach oben gebogen. Die

Kanten und Ecken der Tasche werden geflochten und verstärkt, die Oberkante wird eingefasst. Masato Takaes Taschen haben ausschließlich geflochtene Verbindungen, was sie dank des einzigartigen Naturmaterials und der *urushi*-Lackierung erstaunlich langlebig und auch reparierbar macht.

Bei den Handtaschen bezieht er auch andere traditionelle Kunsthandwerkssparten mit ein. So stammen die aufwendig gewebten Stoffe der Innentaschen von Amami-Ōshima, einer Insel nordöstlich von Okinawa, wo heute noch traditionell gewebt und mittels Schlamm gefärbt wird. Die Kordeln zum Verschließen der Innentaschen stammen aus der Präfektur Mie, geflochten in der Technik des alten Handwerks *Iga kumihimo*.

Masato Takae ist ein echtes Verkaufstalent, sehr kommunikativ, ohne Berührungsängste und ein absoluter Optimist. Er weiß vom Wert eines Markennamens, gefördert durch beständig hohe Qualität sowie gestalterische und handwerkliche Finesse. Seine Handtaschen und Shopper können sich, obwohl anderer Natur, mit europäischen Luxusmarken messen, und seine Blumenkörbe sind kleine Kunstwerke, die Blumengestecke erst richtig zur Geltung bringen.

Ihr Wohnhaus errichteten er und seine Frau mithilfe vieler Freunde. Noch heute gibt es zum Jahresende kein traditionelles *mochi-tsuki* (Schlagen von *mochi*-Reiskuchen) oder Pizzabacken im selbst gemauerten Steinofen, ohne vorher viele Freunde und Bekannte einzuladen.

竹工房オンセ

Abschaben der Bambushaut mit einem gebogenen Zugmesser.

Markieren der Stellen, an denen das Bambusrohr gespalten wird.

Grobes Entfernen der Knotenstellen mit einem speziellen Messer.

高
江
雅
人

Masato Takae gründete sein Studio Take Kobo Once für Bambusflechtkunst 1993 im bergigen Hinterland der berühmten Thermalquellenstadt Beppu auf der Hauptinsel Kyūshū.

Während er als junger Mann sein Heimatland bereiste, begann sich Masato Takae für das Kochen zu interessieren. Nach dem Besuch einer Kochschule fand er eine Stelle in einem der ersten Restaurants, die nur mit Bio-Lebensmitteln kochten. Daraufhin widmete er sich der ökologischen Landwirtschaft, wollte jedoch auch einen auskömmlichen Nebenverdienst finden. So stieß er auf die Berufsschule für *Beppu Take Zaiku* (Bambusflechtkunst aus Beppu) und startete dort seine Kunsthandwerkerkarriere. Aufgrund der abgeschiedenen Lage seines Studios verbringt er etwa ein Drittel des Jahres auf Reisen, um seine Produkte in den luxuriösen Kaufhäusern Japans zu präsentieren.

Die traditionelle Bambusflechtkunst aus Beppu war früher in ihrer einfacheren Form ein Nebenverdienst lokaler Bauern. Mit der Gründung der Berufsschule für

Bambuswaren um 1903 prägten die talentierten Absolventen die heute berühmte Handwerkskunst dieser Region. Alle Auszubildenden besuchen die Schule zwei Jahre lang, meist gefolgt von einer Lehre bei einem etablierten Kunsthandwerker für weitere drei bis fünf Jahre.

In Masato Takaes Studio lernen die jungen Kunsthandwerker alle Prozesse, vom Anfertigen der Bambusstreifen bis zu den geflochtenen Körben und Taschen. Masato Takae unterstützt sie auch nach der Lehre beim Start in die Selbstständigkeit. In seinem Studio beschäftigt er bis zu zwölf Mitarbeiter in Vertrieb und Produktion.

„Ich würde sagen, mein Leben ist ziemlich glücklich. Die Leute um mich herum sagen immer, dass es schwer sein muss, diesen Job zu machen, aber so denke ich nie. Die Bedingungen ändern sich ständig, sicher auch in Zukunft. Also muss auch ich mich ändern, um mich anzupassen."

„Der *Hitori*-Prozess, die Herstellung der Bambusstreifen, ist der zeitaufwendigste Teil der Arbeit, aber er entscheidet über die Qualität des Produkts. 50 Prozent werden über die Qualität der Streifen bestimmt. Wenn sie gut sind, ist es leichter, gute Flechtarbeiten zu machen. [...] Unsere Werkzeuge sind sehr einfach, zum Beispiel breche ich die Kanten der Bambusstreifen mit nur zwei Klingen. Natürlich gäbe es Maschinen, aber wenn man diese einfachen Werkzeuge benutzt, kann auch ein einzelner Handwerker mit einem einfachen Werkzeug alleine arbeiten. Die Eigenschaften jedes Bambus sind unterschiedlich, und Maschinen lassen sich nicht einfach einstellen, so will niemand auf teure Maschinen angewiesen sein."

Durchziehen der Streifen zwischen zwei Klingen, um die exakte Breite zu erhalten.

Beginn des Flechtens der Taschenstruktur in der Mitte des Bodens.

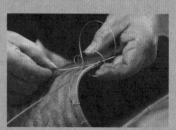

Verknoten der Taschenränder aus Bambus mit dünnen Rattanstreifen.

Take Kobo Once

竹工房オンセ

Take Kobo Once

竹工房オンセ

XI XII
XIII XIV

Hajime Nakatomi

Künstlerische Freiheit, errechnete Verbindungen, Zahlen des Glücks

Hajime Nakatomi

中臣 一

D as Radio spielt Jazzklassiker. Licht fällt durch große Fenster in den weißen Raum mit Wänden aus gelochten Paneelen. Der Boden steigt dreistufig nach hinten an. Unter den Fenstern stehen identische Tische, mit den gleichen Bürostühlen, Leuchten und Heizelementen. Dicke Bambusrohre lagern hinter einer großen Scheibe in einem kleinen Raum, der wie ein Tonstudio wirkt. An der Wand gegenüber hängt eine große linierte Tafel mit handschriftlichen Notizen, wenige Werkzeuge hängen aufgeräumt an Haken in einem offenen Schrank. An der Seite stehen einige Gebilde, oben spitz zulaufend, rotationssymmetrisch und mit gezackten Kanten. Sie erinnern an kleine metallene Tannenbäume.

Der ehemalige Raum für Musikunterricht in einer alten Gesamtschule ist heute das Atelier von Hajime Nakatomi. Der international ausstellende Künstler erschafft hier faszinierende Objekte aus Bambus, gänzlich geprägt von Mathematik, Geometrie und Symmetrie.

Shōunsai Shōno und andere Kunsthandwerker erschufen vor Jahrzehnten faszinierende Arbeiten aus Bambus und Rattan, mit nichts mehr als Bambusstreifen, einfachen Werkzeugen und ihren eigenen Händen. Die heute wie komplexe, am Computer entworfene Modelle wirkenden Arbeiten machten vor 20 Jahren einen so nachhaltigen Eindruck auf Hajime Nakatomi, dass er schon damals den Wunsch verspürte, selbst etwas Derartiges zu kreieren.

Seinen komplexen Stücken begegnet er wie der Ingenieur einer

Bambuskronleuchter „Infinite Shadow", 240 cm (Höhe) × 164 cm (Durchmesser), realisiert von Hajime Nakatomi, Yasumichi Morita und Hidetoshi Nakata.

Konstruktion. Die Berechnung aller Parameter ist Grundlage seiner Arbeit und Leidenschaft zugleich. In seiner Welt aus Zahlen sieht er die Schönheit von Geometrie und Symmetrie, die Eleganz einfacher Kreise, Dreiecke und Achten. Vielfach wiederholt kann auch pure Geometrie organische Formen annehmen, vergleichbar einer makroskopischen Betrachtung mikroskopischer Strukturen in der Natur.

Auf zwei Tischen reihen sich rätselhaft verschlungene Objekte, schwerelos und repetitiv. Eine in sich verdrehte, kompliziert anmutende Blumenvase ist aus bis zu 1.000 Knoten und Schleifen geknüpft. Ihre kompakte Form täuscht, sie ist federleicht. Andere

komplexe Formen bilden sich aus vielen Dreiecken, die aus je drei kombinierten Achten bestehen. Und zahlreiche lineare Pyramiden aus je zwei Dreiecken bilden die flexiblen Strukturen seiner „Prism"-Serie. Alle Verbindungen sind geflochten und geknotet, notfalls per Pinzette. Urushi in Rottönen oder Schwarz macht das Naturmaterial haltbar. Hier entstehen individuelle Kunstobjekte.

Hajime Nakatomi schätzt an seiner Arbeit gerade die Routine der sich häufig wiederholenden Schritte, wie das Knüpfen der zahlreichen kleinen Knoten, welche die Bambusstreifen zusammenhalten. Die in Konstruktion und Fertigung sehr außergewöhnlichen Kronleuchter aus Bambusstreifen sind seine Spezialität und der eigentliche Zweck der eigenartigen Metallbäume. Nach solchen Arbeiten fertigt er gerne auch mal klassischere Bambusobjekte wie die edle sechseckige Ebene aus Schlaufen zur Präsentation traditioneller wagashi, den Süßigkeiten, die während der Teezeremonie gereicht werden.

Hajime Nakatomis Ideal ist eine ausgewogene Aufteilung seiner Arbeitszeit zwischen Auftragsarbeiten und Kreationen, die aus eigenem Antrieb entstehen. Die Zeit dazwischen füllt er mit Experimenten und kleinen Studien, von denen sich einige im Atelier finden. Vielleicht wird er eines Tages die Vision umsetzen, seine Objekte und die von anderen Bambuskünstlern aus Japan in einer Ausstellungsreihe touren zu lassen – weltweit, an vielen Orten, wie eine „Rockband der Bambuskunst", wie er es selbst ausdrückt.

中臣

一

I Eine Künstlerin aus dem TSG-Projekt (siehe Seite 282) neben einem Bambushain nahe der Burg Taketa.
II Hajime Nakatomi präpariert ein Grundelement aus drei verbundenen Bambus-Achten. In Japan ist die Acht eine Glückszahl, so verkörpern seine Arbeiten

auch den Wunsch nach dauerhaftem Glück.
III Der Künstler und ein junger Kollege aus dem TSG-Projekt fertigen Bambusstreifen an.
IV–XI Musterstücke, Objektdetails, auf Dreiecken basierende Objekte der „Prism"-Serie, geflochtener

wagashi-Untersetzer, Objekt aus Achten.
XII Hajime Nakatomi steht auf einer Bodenarbeitsfläche vor der Tafel.
XIII Kleine aus Bambusstreifen geflochtene und rot gefärbte Kugeln werden mit urushi lackiert.
XIV Im ehemaligen Tonstudio lagern

Bambusstangen unterschiedlicher Durchmesser.
XV Ein hohes und leichtes Objekt aus dutzenden Achten.
XVI Eine aufwendige Blumenvase aus bis zu 1.000 Knoten, jeder rote Strang besteht aus sechs sehr dünnen Bambusstreifen.

Die Außenhaut eines Madake-Bambus-rohrs wird grob abgezogen.

Für die Gewinnung der härteren Schicht werden die Streifen längs gespalten.

Die benötigte Dicke wird durch eine horizontale Messervorrichtung erreicht.

中 Hajime Nakatomi studierte
臣 eigentlich Business Marketing an
→ der renommierten Waseda University in Tokyo, doch die Arbeiten des Lebenden Nationalschatzes Shōunsai Shōno (1904–1974) und anderer Bambuskünstler haben ihn nachhaltig beeindruckt. Statt im Business Marketing zu arbeiten, folgte er seinem Herzen und begann eine Ausbildung am Ōita Prefectural Bamboo Crafts Training Center.

Danach übernahm ihn der bekannte Bambuskünstler Syōryū Honda für drei Jahre als Lehrling. Im letzten Lehrjahr arbeitete er auch an eigenen Stücken und fühlte sich bald selbstsicher genug, um 2005 sein eigenes Studio zu gründen.

Im Rahmen größerer Aufträge fertigt Hajime Nakatomi Arbeiten für Interior Designer, wie Kronleuchter oder hochwertige Wandbespielungen aus Bambus und kreiert freie Objekte für Ausstellungen in Japan, Nord- und Südamerika und Asien.

Schon seit Langem werden in Japan aus Bambusstreifen einfache Behältnisse für Lebensmittel geflochten. Mit der Zeit entwickelten sich differenziertere Techniken für höherwertige Objekte. Behältnisse zur Aufbewahrung wertvoller Schalen für die Teezeremonie oder Gefäße für die Kunst des Blumenarrangements waren ein Höhepunkt dieser Handwerkskunst, nochmals übertroffen durch die Entwicklung reiner Schauobjekte seit den 1950er-Jahren.

Ausstellungen für Bambusobjekte sind für junge Künstler eine der wenigen Möglichkeiten ihre Arbeiten zu verkaufen. In Taketa unterstützen sie sich als Kunsthandwerker in einer Art Netzwerk. Auch Hajime Nakatomi bittet manchmal junge Kollegen, für ihn die Vorbereitung der Bambusstreifen zu übernehmen.

„Kontrolle über das Rohmaterial zu haben, ist auch in Japan selten. Wenn man zehn oder 20 Jahre in die Zukunft denkt, bin ich mir ziemlich sicher, dass man keinen hochwertigen Bambus mehr bekommen wird. Ich denke, dies ist ein Wendepunkt für die Bambuskunst."

„Ich benutze meine Hände gerne während der Arbeit, zum Beispiel beim Knoten. Die Leute denken vielleicht ‚Oh, was für ein langweiliger Job', aber für mich ist jeder Bambusstreifen anders. Ich bemerke Unterschiede, weil ich diese Routinearbeiten mache. Wenn alles variieren würde, würde ich vielleicht keine Unterschiede spüren. Routinearbeiten bedeuten mir viel, und ich glaube, dass sie gut für Menschen sind – sonst könnte man auch nicht mit Bambus arbeiten. […] Ich mag Zahlen, ich mag Mathematik. Bambusarbeiten erfordern Berechnungen der strukturellen Festigkeit. In meinen Augen ist Bambuskunst eine Welt der Zahlen. Und für mich ist dies sehr natürlich, es passt zu meinem Charakter."

Zum Schneiden wird nur Bambus mit ausreichender Wuchsdichte ausgewählt.

Das Verbindungsdetail eines Grundelements ist nur etwa 5 × 5 mm groß.

Ein Bambusobjekt wird zum Schutz der Oberfläche mit dunklem *urushi* lackiert.

Hajime Nakatomi

中臣 一

Hajime Nakatomi

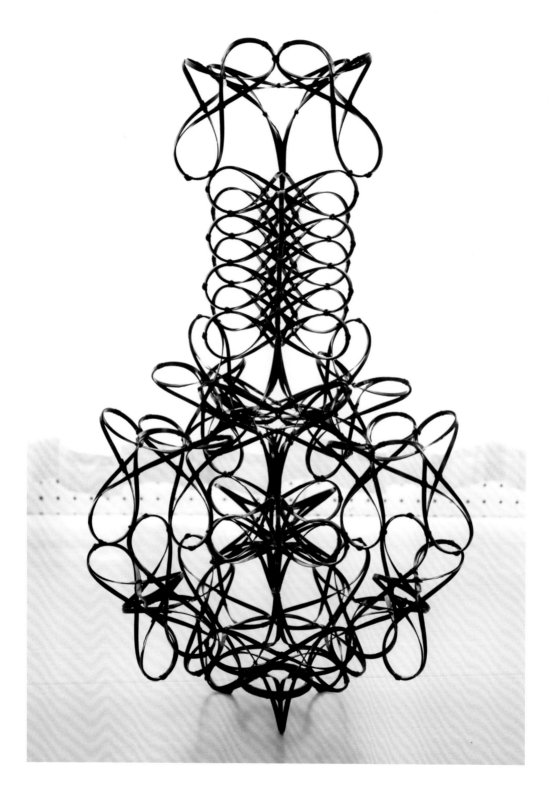

Hajime Nakatomi

中臣一

XVI

BUAISOU

Das gesamte Jahr,
Freunde und ihr Indigo,
gemeinsam wachsen

BUAISOU

Sie begannen zu zweit. Doch schnell kamen Freunde mit weiteren Kontakten und Erfahrungen hinzu und BUAISOU konnten sich breiter aufstellen. Sie setzen, im Vergleich zur traditionellen handwerklichen Spezialisierung in Japan, auf ein holistisches Modell, indem sie selbst angebautes und weiterverarbeitetes Indigo und das Färben aus einer Hand anbieten.

Deshalb arbeiten sie stets parallel zum Pflanzzyklus, im Einklang mit den Jahreszeiten. Das Feld ist zu pflügen, die Saat ist anzuziehen und die Pflänzchen sind zu setzen. Sie müssen gewässert, geerntet, die wertvollen Blätter von den Stielen getrennt und getrocknet werden.

Alles erfolgt mit dem Ziel, die Grundlage für das Färben zu schaffen: das fermentierte, getrocknete und somit haltbar gemachte *sukumo*. Auf natürliche Weise lässt sich mit diesem Färbemittel ein einzigartig tiefes Blau erzeugen, oder, je nach Wunsch, auch hellere Abstufungen davon. Die Fermentierung der Blätter über vier Monate im Winter wird auch *nekasu* („Schlafenlassen") genannt und erfolgt in einem speziellen Raum, dem *nedoko* („Schlafraum"). Das organische Material ist einmal in der Woche mühsam zu wenden und zu lüften, während der dabei aufsteigende Ammoniakdampf das Atmen erschwert.

BUAISOU verwenden das *sukumo* im Färbebad in Form einer erhitzten Lauge aus Holzasche,

Eines der Gewächshäuser von BUAISOU, die im Jahresverlauf vielen Zwecken dienen.

die beim Räuchern von *katsuobushi* (Bonitoflocken) anfällt, vermischt mit Muschelkalk und Weizenkleie als Nährstoff. Diese anspruchsvolle traditionelle Methode heißt *jigoku-date* (wörtlich: „Hölle produzieren"). Aufgrund eines erneuten Fermentationsprozesses im Färbetrog wird das Indigo-Pigment aus dem *sukumo* gelöst. Das zunächst farblose Pigment reagiert auf dem Färbegut durch den Kontakt mit Luftsauerstoff von Gelbgrün nach Blau. Indigo aus Tokushima heißt auch *Awa ai*, wobei Awa der alte Name der Provinz ist, und *ai* mit Indigo gefärbtes Blau, aber auch Liebe bedeutet. Geliebtes Blau. Man muss es lieben, um ihm diese Sorgfalt und Zuwendung zu schenken.

Das ganze Jahr über färben sie Textilien oder anderes Färbegut ihrer Kunden und fertigen bei Bedarf auch die benötigten Siebdruckvorlagen an. Zu guter Letzt gestalten und nähen sie eine Reihe eigener Produkte. Mit den ersten BUAISOU-Jeans, für die sie aufwendig das

Garn für das zu webende Denim färbten, ging einer ihrer Träume als Indigo-Färber in Erfüllung.

Für ihre Haltung werden sie in der jüngeren japanischen Handwerksszene hoch geschätzt. Der konzeptionelle Ansatz macht aus ihnen eine neue Art von Handwerkern: jung, risikobereit, kreativ, interdisziplinär, dabei sowohl lokal analog als auch weltweit digital vernetzt. Dabei hält man Handwerker meist für wenig digital affin, denn für körperliche Arbeit mit den eigenen Händen scheinen digitale Hilfsmittel weitgehend nutzlos. BUAISOU dagegen sind durchaus handwerkende Influencer, mit Instagram als ihrem digitalen Werkzeug, was ihnen einen ständigen Zustrom interessierter Fans und Kunden sichert.

Eine bemerkenswerte Schar von weltweiten Followern erfreut sich an den Reisen der Färber, ihrer zyklischen Feldarbeit und an den Ergebnissen der Teilnehmer von Färbe-Workshops, die in Tokushima selbst und im Ausland stattfinden, wenn BUAISOU von Firmen oder Organisationen eingeladen werden.

Spannend sind auch die Kooperationen mit anderen Marken und natürlich die Indigo-gefärbten Produkte von BUAISOU selbst. Dank hochwertiger Fotos präsentiert das junge Kollektiv dabei auf elegante Weise auch die Ästhetik mühevoller Arbeit, während sie nebenbei den Reiz eines einfachen, scheinbar altmodischen Lebens aufzeigen. Es ist ihre Philosophie.

B U A I S O U

I   Nahe der Werkstatt von BUAISOU fließt der Yoshino durch ein von Bergketten gesäumtes Tal.
II   Blau gefärbte Hände sind ein typisches Merkmal des traditionellen Indigo-Färbens (*aizome*).
III Die Tröge mit dem Färbebad sind, wie in Japan üblich, in den Boden eingelassen.
IV   Während des viermonatigen Gärungsprozesses sind die Indigo-Blätter wöchentlich zu wenden.

V   Ken Yuki vor dem *sukumo*, das unter Reisstrohmatten eine konstante Temperatur behält.
VI   Sakura, ihr Shiba Inu, unter einem traditionellen *noren* (geteilter Vorhang) mit dem BUAISOU-Logo.
VII Kakuo Kaji trägt einen mit Indigo gefärbten Arbeitsmantel von BUAISOU.
VIII Yuya Miura trägt das BUAISOU-Arbeitshemd.

IX   Siebe für den Siebdruck und andere Utensilien in der Werkstatt.
X   Keramikschale von SUEKI mit feinen Indigo-gefüllten Bläschen in der rissigen Glasur, BUAISOU-Bandana mit Siebdruckmotiv.
XI * Yakusugi-Holzperlenarmband von BUAISOU aus gefärbter Zeder von der Insel Yakushima.

XII * Dunkel gefärbte Tragetasche von BUAISOU aus Segeltuch aus der Präfektur Okayama.
XIII * BUAISOU-T-Shirts in dunklen bis hellen Indigo-Tönen.
XIV * *Kendama*-Geschicklichkeitsspiel von BUAISOU aus gefärbter japanischer Kirsche (Sakura) und Zelkove (Keyaki).

* Fotos: Kyoko Nishimoto / BUAISOU

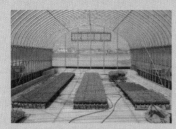

Anziehen junger Indigo-Pflanzen in den Gewächshäusern.

Einpflanzen der Setzlinge, Wässern und Jäten auf dem Feld.

Kirikaeshi, das wöchentliche Wässern und Wenden der fermentierenden Blätter.

楮覚郎 **Kakuo Kaji** interessierte sich bereits während seines Textildesign-Studiums für das natürliche Färben mit Indigo. Er gründete BUAISOU zusammen mit einem anderen Handwerker, den er bei einem Programm mit dem Ziel, junge Farmer und Färber in der traditionellen Indigo-Region Tokushima anzusiedeln, kennengelernt hatte.

結城研 **Ken Yuki** erlernte das Fermentieren von Indigo beim renommierten *sukumo*-Meister Osamu Nii. Ursprünglich wurde das Verfahren im 16. Jahrhundert in der Provinz Awa (heute Teil der Präfektur Tokushima) entwickelt.

三浦佑也 **Yuya Miura** beschäftigte sich bereits mit der Entwicklung und Herstellung von Indigo gefärbten Textilien, bevor er zu BUAISOU kam.

Nach einigen Jahren ergänzte Tadashi Kozono das Team, während Kyoko Nishimoto seit Langem für Öffentlichkeitsarbeit und Social Media verantwortlich ist.
  Heutige Produzenten von *sukumo* sind darauf angewiesen, die Indigo-Pflanze (*Polygonum tinctorium*) von lokalen Farmern aufzukaufen oder selbst anzubauen. Auftragsfärber beschäftigen sich vor allem mit dem Färben von Stoffen, Garnen oder auch Leder und Holzobjekten. Oft bieten sie zudem Workshops an, in denen man selber ein Kleidungsstück färben oder eine der Drucktechniken ausprobieren kann. Und dann gibt es BUAISOU, die alles aus einer Hand bieten: den Anbau des Indigos, das Herstellen des *sukumo*, das Färben von Textilien und Objekten, Workshops und Mode aus ihrer eigenen Produktion.

„Mein Traum ist es, einfach weiterzumachen, mit Indigo zu färben und nicht aufzugeben. Auch wenn wir eines Tages mehr als 100 Mitarbeiter beschäftigen würden, möchte ich weiter alles vom Anbau, Färben und Nähen bis zum Design selbst machen. Und wenn diese Firma nur aus einer Person bestünde, würde ich das Gleiche tun. Das ist alles." Kakuo Kaji

„Manch einer sagt, Tokushima sei das Zentrum des Indigo-Färbens, aber es ist eher das Zentrum des *sukumo*. Zentren für das Färben mit Indigo sind Kyoto oder auch andere Orte hier in Japan. Tatsächlich gibt es derzeit nur fünf Produzenten für *sukumo* in Tokushima und zwei weitere in anderen Regionen. Bei BUAISOU stellen wir *sukumo* her, und gleichzeitig färben wir mit Indigo. Vor langer Zeit gab es berühmte Indigo-Färber in Kyoto und Fukuoka. Wir machen das erst seit ein paar Jahren, aber wir merken, dass jeder Ort, jeder Färber anders ist. Vor einer Weile besuchte uns ein berühmter Indigo-Lehrer aus Miyazaki. Ich hatte das Gefühl, dass der Färbeprozess von dort ein völlig anderer ist als unserer." Kakuo Kaji

Aufschichten des *sukumo* nach dem Durchlüften zu einem exakten Haufen.

Mischen der Färbelösung aus dem *sukumo* mit weiteren Ingredienzien.

In den beheizten Trögen kann das ganze Jahr über gefärbt werden.

BUAISOU

ISSO

Gekonnt verfeinert,
was für eine edle Kunst,
blaue Schönheit

D as spannende Architektenhaus wurde speziell auf die Bedürfnisse von Tokiko Kajimoto zugeschnitten. In einem turmartigen Anbau befindet sich ihr Atelier, in dem drei Tontröge zum traditionellen Färben mit Indigo im Boden des Erdgeschosses eingelassen sind. Ein massiver Holzstamm trägt die hölzerne Struktur des achteckigen Raums, während die Wände zwischen den Eckbalken aus anderen Naturmaterialien gefertigt sind. Eine Holztreppe windet sich zur zweiten Ebene, deren luftdurchlässiger Boden aus schlichten Bambusrohren besteht. Wenn die bodennahen Lüftungsklappen im Erdgeschoss geöffnet sind, steigen die organischen Dämpfe des Färbebads ungehindert nach oben und entweichen aus der Dachöffnung. Zugleich zeugt der Sichtbeton im schmalen Wohntrakt vom modernen japanischen Architekturverständnis.

Tokiko Kajimoto hatte immer schon ein besonderes Interesse an Keramik und an anderen im Alltag genutzten kunsthandwerklichen Gegenständen. Als sie eines Tages Arbeiten des berühmten Indigo-Färbers Motohiko Katano sah, war sie nachhaltig von ihnen beeindruckt und fasste den Entschluss, nach Tokushima, in die Heimatstadt ihres Mannes, zu gehen, um dort das Färberhandwerk zu lernen. In der früher Awa genannten Provinz liegen die Wurzeln des *sukumo*-Handwerks. Dort fand sie in Toshiharu Furushō einen hervorragenden Lehrer, der ihr die Geheimnisse des Färbens mit *sukumo* beibrachte und so den Grundstein zu ihrer eigenen handwerklichen Existenz legte.

Wie jeder Färber hat auch Tokiko Kajimoto eine besondere Beziehung

zu ihrem Färbemittel. Schon in der Furushō-Färberei arbeitete sie mit dem *sukumo* von Osamu Nii aus Tokushima, und sie vertraut noch heute auf die fermentierten Indigo-Blätter des Meisters. Beim Ansetzen der Färbelösung nutzt sie die Asche

Der Zwischenboden im Atelier besteht aus Bambusrohren. Die Außentreppe des Hauses ist eine offene Holzkonstruktion.

aus dem Steinofen einer Pizzabäckerei, und den Bakterien darin gönnt sie als Nährstoff einen ordentlichen Schluck von in Tokushima gebrautem Sake.

Sie findet es vor allem reizvoll, Stoffe unterschiedlichster Garne, Herkunft und Haptik zu färben, insbesondere bei Farbverläufen. Das gleichmäßige Färben eines nahtlosen Übergangs, beispielsweise von Weiß zu einem tiefen Blau, muss stets auf die Stoffart abgestimmt werden und benötigt viel Erfahrung.

Produkte von ISSO sind unter anderem zart anmutende, luftige, fast transparente Seidenschals, gewoben in Kiryū, Präfektur Gunma. Ihre lange und schmale Form ist ideal für die schönen Blauverläufe. Ein anderes Produkt, ein textiler blauer Raumteiler, trägt schlichte weiße Punkte. Weiche Fransenschals aus indischer Baumwolle sind in tiefem Blau gefärbt. Aus groben Hanffasern besteht dagegen ein schmaler, mit Verläufen gefärbter Tischläufer. Mehrere davon nebeneinander ergeben einen reizvollen Wandteppich.

Eine Spezialität Tokiko Kajimotos sind große Wandteppiche, gefärbt mit grafischen Mustern. Durch die sehr exakt auszuführende Abbindetechnik *itajime-shibori* verwirklicht sie auch kleinteilige kontraststarke Farbübergänge. Speziell ungefärbte oder dunkelblaue Linien im Muster machen die Arbeit aufwendig. Auf diese Weise verleiht sie den Stoffen eine starke grafische Zeichnung, zu sehen bei den künstlerischen Auftragsarbeiten für die Inneneinrichtung gehobener Hotels oder Urlaubsresorts. Der variierende Kontrast unterschiedlich stark gefärbter Partien macht auf elegante Weise den handwerklichen Wert eines Stücks sichtbar.

Es handelt sich letztlich um die traditionelle symbiotische Arbeitsweise japanischer Indigo-Färber – die gezielte Veredelung hochwertig hergestellter Produkte anderer Kunsthandwerker. Die Kunst Tokiko Kajimotos ist das Wissen um die natürlichen Eigenschaften des Indigos und die Kontrolle über die Dynamiken des Färbens, welche sie meisterhaft in ihren eigenen Stücken anwendet.

一
草

I   Das dreigeschossige Wohnhaus mit Atelier.
II   Tokiko Kajimoto beim Begutachten der Farbverläufe eines frisch gefärbten Seidenschals.
III   Ein Leuchtobjekt mit Lampenschirm in Blauverläufen im Eingangsbereich des Hauses.

IV   Färben von Seidenschals in Blauverläufen durch sukzessives Abwickeln von einem Stab.
V   In den Boden eingelassener Färbetrog aus glasierter Keramik mit Lüftungsklappe im Hintergrund.

VI   Zwei trocknende Schals nach dem Färben an einer Stange.
VII   Tokiko Kajimoto im Essbereich ihres Hauses neben einem ihrer Indigo-Mobiles.
VIII   Einer ihrer Wandteppiche an der Wand im Färbestudio.

IX   Beim Färben wurde jedes Detail durch aufwendiges Falten und Abbinden des Stoffs kontrolliert.

Zerkleinern der *sukumo*-Brocken vor dem Ansetzen des Färbebads.

Hinzufügen von Sake als Nährstoff für die Bakterien.

Abschöpfen der durch die Bakterien erzeugten „Indigo-Blume" vor dem Färben.

梶
本
登
基
子

Tokiko Kajimoto ist eine Indigo-Färbekünstlerin aus Tokushima, Präfektur Tokushima, die das Handwerk bei einer bekannten lokalen Färberei gelernt hat. Unter dem Namen ISSO produziert und vertreibt sie mit ihrem Sohn Yudai Kajimoto eigene Produkte.

ISSO übernimmt zudem Auftragsarbeiten wie das Färben großer Wandteppiche und kooperiert bei umfangreichen Färbeprojekten. Ihr stetiger Antrieb ist, die Schönheit des Indigos (*ai*) zu vermitteln. Gerne nutzt sie hierfür *shibori*-Techniken – das partielle Färben von Stoffen durch Abbinden, um ein Muster zu erzeugen. Sie liebt es, die Vielfalt gewebter Textilien zu erforschen, um neue Produkte, Färbemuster oder ganze Kunstwerke zu entwickeln. Ihre Arbeiten werden sowohl in Boutiquen verkauft als auch in Galerien und Ausstellungen gezeigt. Zudem ist sie regelmäßig auf europäischen Messen wie der Maison & Objet in Paris mit Seidenschals und anderen Produkten vertreten.
    Das Färben mit Farbstoffen aus Mineralien, Pflanzen oder Tieren ist eine der ältesten Kulturtechniken

überhaupt, allerdings ging spätestens seit der Erfindung synthetischer Farben im 19. Jahrhundert viel des weitergegebenen Wissens verloren. In Japan ist das Färben mit Indigo dennoch immer ein lebendiger Teil der Kultur geblieben, während auf natürliche Weise gefärbte Textilien sich allmählich auch weltweit wieder steigender Beliebtheit erfreuen. Jeder Indigo-Färber möchte die Grundlagen des natürlichen Färbens erhalten und hervorragende Produkte fertigen. Im Wissen, diese aufwendige Handwerkskunst zu unterstützen, akzeptieren die Käufer dafür auch gerne höhere Preise.

„Manchmal suche ich nach Stoffen für meine Arbeiten, manchmal begegnen sie mir zufällig. Ich studiere das Material, erstelle ein Design, das dafür geeignet ist, und verwandle es in ein Kunstwerk oder Produkt. Am wichtigsten ist mir, dass das Design die Schönheit von *ai* unterstützt und hervorhebt."

„Es ist aktuell so, dass es in Tokushima viel zu wenige *aishi san* [Indigo-Meister] gibt, die *sukumo* herstellen, nur vier oder fünf Personen. Ich bin ein wenig besorgt über die Situation, aber es wächst auch eine neue Generation heran. Also versuche ich, ohne allzu große Sorgen in die Zukunft zu blicken. Es gibt auch wieder mehr Menschen, die mit Indigo gefärbte Produkte verwenden. Und es gibt mehr Möglichkeiten, Wissen über Indigo zu verbreiten. Die jungen Leute sind interessiert und einige von ihnen haben neue Unternehmen gegründet. Ich spüre Hoffnung. In ganz Japan gibt es Menschen, die davon leben, mit Indigo zu färben."

Ungefärbte Stoffe liegen übereinandergestapelt in einem Regal.

Beim Färben mit Indigo nehmen die Hände ebenfalls die blaue Farbe an.

Jedes handgefärbte Stück ist ein Unikat.

ISSO

一 草

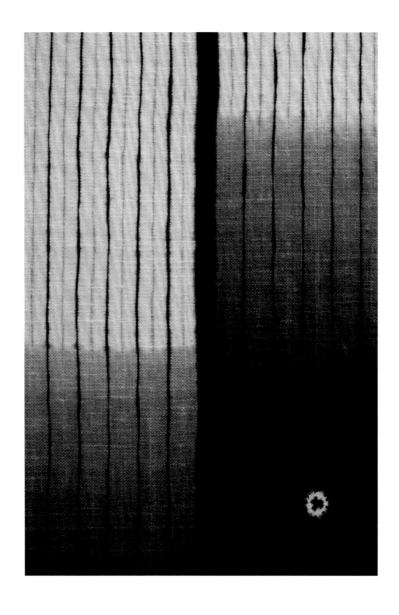

一　草

Tree to Green

**Bäume warten an
dichten Berghängen auf
ihre Verwandlung**

Tree to Green

N ebel liegt über dem Fluss, Wolken hängen tief im Tal und tauchen die dicht bewachsenen Bergflanken in Watte. Weitere Wolkenfetzen gesellen sich aus Seitentälern hinzu, während überall Wasser rauscht. Hinoki, Sawara, Kōyamaki, Nezuko und Hiba bilden endlose Abstufungen von Dunkelgrün. Es sind die „fünf heiligen Bäume" von Kiso, man wähnt sich am mystischsten Ort Japans.

Das gewundene Tal des Kiso-Flusses in den Präfekturen Nagano und Gifu verfügt über einen gesegneten Baumbestand. Insbesondere das Holz der Hinoki-Scheinzypresse ist wegen seiner Wasserbeständigkeit und der enthaltenen ätherischen Öle in Japan hochgeschätzt. Es ist unter anderem der präferierte Werkstoff zum Bau buddhistischer Tempel und shintoistischer Schreine. Die höchste Ehre wird der Hinoki durch die Verwendung für den Ise-jingū, dem Groß-Schrein von Ise, zuteil, der rituell alle 20 Jahre neu gebaut wird. Der wichtigste Shinto-Schrein Japans wird jährlich von sechs Millionen Pilgern aufgesucht.

Tree to Green möchte mit modernen Produkten und ausgeklügeltem Business-Service die Forstwirtschaft in Japan stärken und dazu beitragen, das japanische Holzhandwerk zu erhalten. Auch wegen seiner bergigen Inseltopografie ist Japan mit fast 70 Prozent eines der am stärksten bewaldeten Länder der Welt. Dennoch werden bis zu 70 Prozent des benötigten Holzes importiert, da andere Länder

Hinoki-Scheinzypresse. Zeichnung von Philipp Franz von Siebold und Joseph Gerhard Zuccarini, *Flora Japonica*, 1835–70.

größere Mengen zu geringeren Kosten einschlagen.

Neben dem guten Holz gibt es im Kiso-Tal auch hochqualifizierte Handwerker und zahlreiche holzverarbeitende Betriebe. So betreibt Tree to Green eine eigene Werkstatt in einer alteingesessenen ehemaligen Schreinerei. Hier waren in früheren Jahren etwa 30 Handwerker mit dem Bau von Hausaltaren und Altaren für Shinto-Schreine beschäftigt. Der Ort und das Know-How blieben durch die Impulse der beiden Gründer von Tree to Green, Yusuke Aono und Takanori Kosegi erhalten. So erwies sich die Verbindung ins Kiso-Tal als Glücksfall.

Takanori Kosegi ist im Kiso-Tal geboren und aufgewachsen. Der noch von seinem Großvater gegründete Familienbetrieb Kosegi Mokko

wird von seinen Eltern geführt und fertigt unter anderem Produkte für Tree to Green. Auch hier begegnet man der Atmosphäre vergangener Jahrzehnte mit wundervollem weichem Licht, alten Maschinen, Böden mit Gebrauchsspuren und angehäuften Holzspänen.

Tree to Green kooperiert mit weiteren lokalen Handwerksbetrieben: Okekazu fertigt Holzbottiche (*oke*), Yamaichi Ogura Rokuro Crafts produziert eine Serie von asymmetrisch gedrehten Schalen und TATEMOKU setzt individuelle Interieur-Projekte um.

Die Gründer von Tree to Green und der Submarke Kiso Lifestyle Labo hatten die Vision, Produkte aus heimischen Hölzern zu entwickeln, selbst zu fertigen und zu vermarkten. Diese sind zeitlos-modern gestaltet und umfassen die für die Kiso-Region typische Holzproduktpalette zwischen japanischer Bade- und Esskultur. Dazu entstand parallel ein sehr erfolgreicher Unternehmensbereich für die Planung und Fertigung von Innenausstattungen aus heimischen Hölzern beispielsweise für Kindergärten und Vorschulen.

So entwickelte sich im prosperierenden Stadtteil Shibuya in Tokyo innerhalb von sechs Jahren aus einem Duo ein Team von derzeit etwa 20 Designern, Konstrukteuren und Backoffice aus allen Landesteilen Japans. Und Tree to Green wächst weiter, dank ihrer durchdachten Konzepte und Ideen für eine nachhaltige Beziehung der Japaner zu ihren Wäldern.

Tree to Green

I Der Fluss Atera mündet aus einem engen Seitental in den Kiso.
II Letzte Arbeiten an einem Badehocker der Submarke Kiso Lifestyle Labo zur Verwendung in japanischen Bädern.
III Tree to Green arbeitet fast nur mit lokalem Holz aus der Kiso-Region.
IV Jungo Suzuki (links), der Schreiner Hara (rechts) und ein Mitarbeiter in der Holzwerkstatt.

V Der ehemalige Schreiner Hara unterstützt das Team mit seinem Fachwissen.
VI Eine Oberfräse in den Gebäuden der großen Schreinerei.
VII Takanori Kosegi, einer der Firmengründer, in der Werkstatt seiner Eltern nahe Nojiri.
VIII Badehocker von Kiso Lifestyle Labo aus wasserbeständigem Hinoki-Holz.

IX Die große Bandsäge ermöglicht das Anfertigen von langen Brettern aus einem Stamm.
X Werkstatt und Sägewerk von Kosegi Mokko.
XI Hideo Kosegi und seine Frau in ihrer Werkstatt im Kiso-Tal.
XII Kosegi Mokko fertigt unter anderem im Auftrag von Tree to Green.
XIII Im langgestreckten Werkstattgebäude von Kosegi Mokko.

XIV–XVIII Einige Produkte von Kiso Lifestyle Labo: wasserbeständiger Hinoki-Badvorleger mit Silikonfüßen, Aromahänger aus Hinoki, wasserbeständiger Hinoki-Badehocker, herrlich duftender Badezusatz aus Hinoki-Spänen im wasserdurchlässigen Beutel*, wasserbeständige Hinoki-Seifenschale*.

* Fotos: Tree to Green

Das ovale Markenzeichen von Kiso Life-style Labo wird in einen Hocker gebrannt.

Zwei der Holzhandwerker besprechen Arbeitsschritte in der Werkstatt.

Tageslicht fällt in das temporäre Werkstattgebäude von Tree to Green.

青野裕介 **Yusuke Aono** ist CEO von Tree to Green, einer Firma aus Tokyo, die sich der nachhaltigen Nutzung der japanischen Holzressourcen verschrieben hat. Nach Stationen im Bankwesen, Consulting und Energiesektor gründete der studierte Anwalt zusammen mit Takanori Kosegi 2013 Tree to Green. Sie entwerfen und produzieren Lifestyle-Produkte und Interieurs aus Holz und bieten Business Support und vielfältige Workshops rund um das Thema Holz an, unter anderem für Kindergärten.

小瀬木隆典 **Takanori Kosegi** ist Mitbegründer von Tree to Green und Geschäftsführer für die Bereiche Produkte und Workshops. Er wuchs im Kiso-Tal auf und spürte seine Verbundenheit zu dieser wichtigen holzverarbeitenden Region schon während seiner Studienzeit in Tokyo.

小瀬木日出男 **Hideo Kosegi**, Vater von Takanori Kosegi, arbeitete lange in der Holzbranche und ist seit 2015 einer der Geschäftsführer von Tree to Green. Er führt zudem weiterhin den Familienbetrieb Kosegi Mokko im unteren Kiso-Tal.

„Das riesige Kiso-Tal ist voller Hinoki-Zypressen. Es ist kalt im Winter und heiß im Sommer, was der Grund ist für ihr langsameres Wachstum und die bessere Holzqualität mit dichter Struktur. Deshalb wird Hinoki auch für viele Tempel- und Schreinbauten ausgewählt. Lange vor dem 20. Jahrhundert fällten die Menschen zu viele Hinoki, und die Machthaber waren besorgt über die Vernichtung dieses wichtigen Baums. Also ordneten sie die Todesstrafe an für jeden, der einen Baum schlug. ‚Ein Baum – ein Kopf' lautete die Devise. Dank umfangreicher Aufforstung gibt es diese Sorge heute nicht mehr, aber wir sollten Kiso-Hinoki nicht missbrauchen, bis sie verschwindet. Es ist einer der schönsten Bäume Japans." Takanori Kosegi

Unzählige familiengeführte Betriebe, die auch viele moderne Holzprodukte fertigen, halten die traditionelle handwerkliche Holzverarbeitung in Japan am Leben. In der japanischen Gesellschaft werden stabile Geschäftsbeziehungen, beispielsweise solche zu Holzlieferanten, über viele Jahre aufgebaut. Auf der Basis des gegenseitigen Vertrauens lassen sich so Produkte exzellenter Qualität mit hervorragenden Rohstoffen fertigen und auf lange Sicht zuverlässig anbieten.

„Ich bin in Kiso geboren und dort aufgewachsen. Mein Großvater gründete diese Werkstatt und mein Vater führt sie fort. In meiner Kindheit war ich nicht daran interessiert, es war nicht sehr cool. Aber jetzt bin ich froh, das Gleiche zu tun, was meine Eltern so lange getan haben. Und es ist fantastisch, die Chance zu haben, mit meiner Familie zu arbeiten." Takanori Kosegi

Holzstämme lagern in den Wäldern der Region Kiso.

Hideo Kosegi belädt seinen Transporter mit gesägten Brettern.

Die Werkstatt liegt inmitten von Feldern in Sichtweite zum Kiso.

Tree to Green

151

Tree to Green

TATEMOKU

**Handarbeit ist in
einem Park voll Maschinen
filigranes Werk**

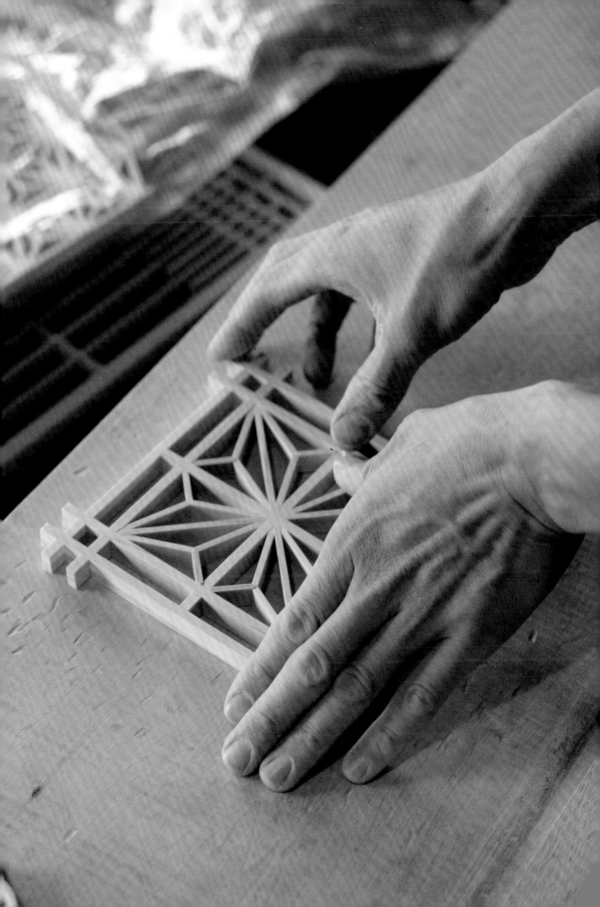

Die an drei Seiten offene Dachkonstruktion lässt die Luft zirkulieren. Große Mengen Holz sind in allen erdenklichen Zuständen bis an die Dachkante gestapelt – alte Baumstämme, dicke Bohlen, schmale Bretter, dünne Leisten, auf Paletten und in dicken Bündeln auf Rollwagen. Im Holzlager von TATEMOKU bleibt dem Gabelstapler nur ein schmaler Gang zum Manövrieren.

In der Werkhalle unterhalb des Holzlagers trifft man auf einen veritablen Maschinenpark. Insektenbeinartig verzweigt sich an der dunklen Decke ein Gewirr aus Absaugrohren, scharf nach unten abknickend in ein undurchdringliches Labyrinth von Maschinen, Rohren, Schläuchen und Kabeln. Zu Dutzenden stehen große, schwere Fräsen, diverse Sägen, Absauganlagen und Maschinen zum Hobeln, Bohren, Drechseln und Schleifen dicht neben Regalen mit Kleingeräten, Utensilien und diversen Kisten und Kartons. Es ist keine leichte Aufgabe sich einen Überblick über diesen komplexen Mikrokosmos zu verschaffen.

Auf den wenigen freien Flächen warten halbfertige Werkstücke auf ihre Vollendung. Neben anderen Interieur-Projekten haben Takao und Toshihiko Tate mit ihrem Team für Tree to Green (siehe Seite 144–155) die Möblierung der öffentlichen Bibliothek im neu gebauten Kiso Town Cultural Exchange Center umgesetzt. Außerdem fertigten sie die Schulmöbel in der örtlichen

Tisch in der Stadtbibliothek von Kiso, realisiert von TATEMOKU, 2017. Der Entwurf für das Interieur stammt von Tree to Green und Sekita Design Studio. Verwendete Hölzer sind Kiso-Hinoki, Zelkova und Nara-Buche aus dem Kiso-Tal.

Grundschule. In Japan engagieren sich lokal verwurzelte Handwerker häufig bei öffentlichen Projekten.

TATEMOKU sind auch Spezialisten für auf Maß gefertigte *kumiko*-Holzgitter, die in *shōji* (Flächen in Schiebetüren, Fenstern, Raumtrennern) und bestimmten anderen traditionellen Oberflächen japanischer Häuser vorkommen. Die aufwendig produzierten Sprossenrahmen aus wertvollen Hölzern sind neben der Wandnische (*tokonoma*) und Wandregalen (*chigaidana*) ein wichtiger Bestandteil japanischer Einrichtungskultur. Mit transluzentem Papier bespannt und von der Sonne beschienen, entwickeln sie ihren besonderen Reiz im Spiel aus Licht und Schatten und sorgen zugleich für Privatsphäre.

Allen *kumiko* gemein ist ein formgebender stabiler Holzrahmen, in den eine gleichmäßige Gitterstruktur aus schmalen Holzleisten eingelegt wird. Diese bildet das geometrische Grundmuster aus sich wiederholenden Dreiecken,

Vierecken oder Sechsecken dessen Zwischenräume mit kleinen Bausätzen aus winzigen, passgenau gefertigten Holzleistenabschnitten mit verschiedenen Details gefüllt werden. Alle Teile werden so präzise gefertigt, dass man sie oft ohne Holzleim zusammenstecken kann, da die Gitterstrukturen durch die Spannung schon bei der Montage in sich stabil sind.

Ihre Erscheinung erinnert an kristalline Strukturen, basierend auf präzisen mathematischen Gesetzmäßigkeiten. Manche werden aus verschiedenfarbigen Naturhölzern gefertigt, um das Design weiter zu verfeinern. Bei anderen Stilen können die Leisten unterschiedliche Dicken haben, aber auch Wellen und Zacken. Die regelmäßigen Muster bilden auch den Hintergrund abstrakter Landschaftsbilder, oder man bricht sie mit wenigen grafisch starken Elementen. Der Grad der Komplexität und Verfeinerung der Gittermuster ist zugleich ein Maß für die Fähigkeiten des Handwerkers.

Mit *kumiko* verbindet man heute meist traditionelle japanische Häuser. Doch auch viele Luxusboutiquen, elitäre Lounges oder hochpreisige Hotels setzen auf die anspruchsvollen geometrischen Muster. In moderner Interpretation können sie wie eine abstrakte Computergrafik wirken und werden zum hippen japanischen Zitat mit exklusivem Touch. Dank der japanischen Ästhetik und der reichen japanischen Ornamentik behalten sie zweifelsohne ihren zeitlosen Reiz.

楯木工製作所

I   Die Werkstatt besteht aus mehreren Gebäuden auf verschiedenen Ebenen.
II   Das *kakuasa*-Muster (quadratischer Hanf) ist ein typisches Design für *kumiko*.
III   Aufgrund des großen Maschinenparks kann TATEMOKU sehr

vielfältige Aufträge übernehmen.
IV   Toshihiko Tate inmitten seiner Maschinen.
V   Im Holzlager werden viele zugeschnittene Holzleisten und Bretter aufbewahrt.
VI   Eine Holzplanke wird mit einem japanischen Handhobel geglättet.

VII   Die Platten für neue Tische der Stadtbibliothek von Kiso werden aus Massivholz gefertigt.
VIII   Ein klassisches horizontales *kumiko*-Panel mit *asanoha*-Muster (Hanfblatt), das auf regelmäßigen Sechsecken basiert.

IX   Verschiedene *kumiko*-Details wurden zu diesem aufwendigen Gittermuster für ein Interieur kombiniert.
X   *Kumiko* kann sehr unterschiedliche Stile, Formen und Farben haben.

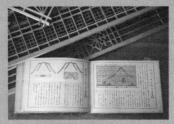

Ein altes Fachbuch mit der Vorlage zum klassischen Fujisan-Motiv.

Rahmen und Innenteil eines *kumiko*-Abschnitts werden aus gleichen Teilen passgenau zusammengesteckt.

Alle Musterstücke basieren auf dem gleichen Prinzip des Zusammenfügens.

楯
高
男 **Takao Tate** ist Geschäftsführer und die zweite Generation des Familienbetriebs TATEMOKU, der hochwertiges Holzinterieur in Nagiso, Präfektur Nagano, fertigt. Sie sind zudem Spezialisten für das filigrane Sprossenwerk *kumiko*, dem seit langer Zeit eine wichtige repräsentative Bedeutung in der traditionellen japanischen Architektur zukommt.

楯
敏
彦 **Toshihiko Tate** ist der Enkel des Firmengründers und führt das Tagesgeschäft von TATEMOKU.

Die 1948 gegründete Firma fertigte zunächst *magewappa*, dampfgebogene Holzwaren, die ursprünglich aus Odate in der Präfektur Akita stammen. Später stellten sie mit 20 bis 30 Angestellten unter anderem Hausaltare und *kumiko*-Holzgitter her. Derzeit fertigen etwa sieben Angestellte Holzprodukte für das firmeneigene Ladengeschäft im nahen Tsumago, einem bedeutenden Touristenziel, und setzen unter anderem für Tree to Green größere Interieur-Projekte um.

Hochspezialisierte Kunsthandwerker für die Herstellung der

„Ursprünglich kannte ich in Kiso keine Handwerker, aber meine Eltern haben diese Werkstatt, also haben sie mir einige von ihnen vorgestellt, einem von ihnen hat mein Großvater früher mal geholfen. Wir mussten Leute finden, die in der Lage sind, unsere neu gestalteten Produkte zu realisieren. Meine Eltern fanden einige ernsthafte Kandidaten für mein Unternehmen. Jetzt arbeite ich zum Teil mit Menschen zusammen, die sogar meinen Großvater kannten oder die meine Eltern kennen, was für eine japanische Geschäftsbeziehung sehr wichtig ist aufgrund der gemeinsamen Wurzeln zwischen Familien oder Unternehmen."

Zitat aus dem Interview mit Takanori Kosegi, Mitbegründer von Tree to Green

komplizierten *kumiko*-Arbeiten bedienten schon in früheren Jahrhunderten einen Markt für wohlhabende Hausbesitzer großer Gutshöfe. Insbesondere in vorindustriellen Zeiten waren die Gitterstrukturen mit einem enormen handwerklichen Aufwand verbunden. Über die Zeit etablierten sich Dutzende *kumiko*-Muster unterschiedlicher Stile und Schwierigkeitsgrade. Mit ihrer geometrischen Struktur verzieren sie transluzente Schiebetürelemente (*shōji*), schmale Oberlichter, Raumteiler, Wandgestaltungen und Lampenschirme.

Mit dem Aufkommen moderner Holzbearbeitungsmaschinen ab der zweiten Hälfte des 20. Jahrhunderts wurde die exakte Herstellung der regelmäßig strukturierten Leisten erschwinglicher. Nach wie vor bestimmen aber die Komplexität des Musters, der Grad der Unregelmäßigkeit, die Anzahl der kleinen Holzteile und der Anteil manueller Handarbeit Aufwand und Preis der Produkte – unabhängig davon, ob es sich um klassisches Gitterwerk oder Muster auf Basis moderner Designkonzepte handelt.

Rindo (Enzian), ein beliebtes traditionelles Muster, in einer Auftragsarbeit.

In der alten Poststadt Tsumago betreibt TATEMOKU einen eigenen Laden.

Ein klassischer Lampenschirm mit *asanoha*-Muster auf *kumiko*-Basis.

TATEMOKU

楯木工製作所

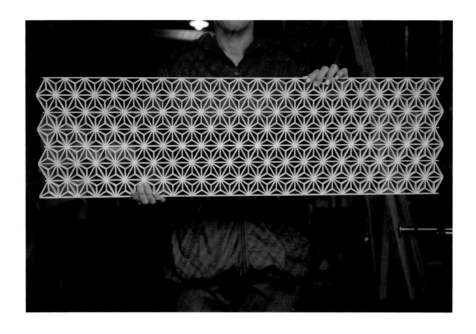

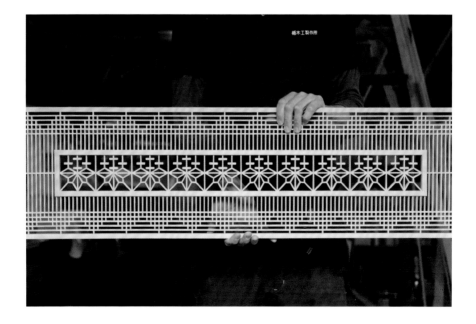

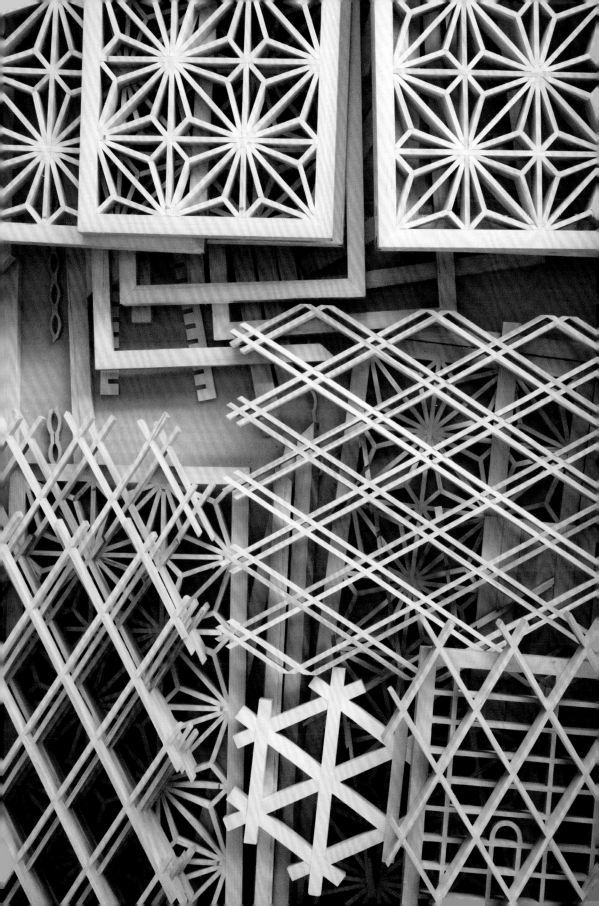

Okekazu

Langsam gewachsen,
Hinoki und ihre Schwestern,
kleine Kostbarkeiten

桶
数

Okekazu

H eißes Wasser dampft unberührt in der Wanne. Das obligatorische und von viel Seifenschaum begleitete Reinigen des Körpers ist nach einem anstrengenden Tag sehr willkommen, wie auch das wiederholte Überschütten mit warmem Wasser aus einem kleinen Holzeimer. Beides ist nur die Vorfreude auf das langsame Hineingleiten ins Becken, meisterlich gezimmert aus hellen naturbelassenen Hinoki-Stämmen. Die Holzflächen sehen durch das spiegelglatte Wasser rutschig aus, doch die Füße finden natürlichen Halt. Alles fühlt sich weich an, bedingt durch die Wärme von Wasser und Holz. Man atmet unweigerlich seufzend aus, wenn der ganze Körper in die Hitze abtaucht. Das Wasser beruhigt sich langsam wieder und die völlige Entspannung beginnt.

Ein Bad zu nehmen in einem Wasserbecken aus duftendem Hinoki-Holz ist ein ursprünglicher japanischer Genuss. Okekazu fertigt solche Becken für traditionelle japanische Thermalbäder (onsen) und Badehäuser (sentō), außerdem Sitzbadewannen und Waschbecken für den Privatgebrauch und traditionelle Böttcherwaren (oke). Für den Designer Ryu Kosaka produzieren sie eine Reihe Design-Waschbecken und eine aufwendige runde Vollholz-Wanne. Sie wird aus 20 etwa dreihundert Jahre alten Hinoki-Scheinzypressen gefertigt und von Luxushotels oder wohlhabenden Privatpersonen geordert. Das Holz beinhaltet von Natur aus ätherische Öle und behält über lange Zeit seine wasserbeständigen Eigenschaften.

Kesao Ito fertigt große geschwungene Dauben aus Hinoki für eine der Badewannen des „Furo-Projekts".

Das eigentliche Repertoire eines oke-Machers sind traditionell per Hand gefertigte Holzfässer, Bottiche und Eimer. Dabei nutzt man oft die natürlichen Eigenschaften des Holzes, um ohne weitere Schutzbehandlungen auszukommen. Behälter für gekochten Reis bestehen meist aus Sawara-Holz aufgrund seiner hygroskopischen und zugleich wasserbeständigen Eigenschaften.

Wassereimer für das japanische Bad sind meist aus Hinoki oder Sawara, aufgrund der dauerhaften Wasserbeständigkeit wie beim leichten Eimer aus Kiso-Sawara mit

Fertige Massivholzbadewanne des „Furo-Projekts" mit einem Durchmesser von etwa 1,4 m. Design: Ryu Kosaka von A.N.D.

Kupfer- oder Edelstahlreifen oder der Version aus Kiso-Hinoki mit Reifen aus geflochtenem Messingdraht und schräg abfallender Oberkante für die einhändige Handhabung. Beide produziert Okekazu für die Lifestyle-Marke Kiso Lifestyle Labo von Tree to Green (siehe Seiten 144–155) wie auch einen runden, dreibeinigen Hocker für den Hausgebrauch aus den gleichen Materialien. Kesao Ito und sein Sohn Takumi sind außerdem Spezialisten für mannshohe Fässer, genutzt bei der traditionellen Herstellung japanischer Lebensmittel wie der Misopaste aus vergorenen Sojabohnen.

Die sehr körperbetonte Arbeitsweise hat sich seit Jahrhunderten kaum verändert. Sie orientiert sich an den zu jedem Arbeitsschritt passenden ergonomischen Werkzeugen und Hilfsmitteln. Beim Bearbeiten der Dauben mit Reifmessern sitzt der Böttcher rittlings auf einer abfallenden Holzbohle (Bild V). Ihr Ende ist zugleich das Gegenlager zu dem von ihm umgebundenen Bauchschutz, dazwischen wird das Werkstück eingeklemmt. Ein weiteres durch ihn selbst beschwertes Sitzgerät hilft beim effizienten Bearbeiten der Daubenoberflächen mit speziellen Hobeln. Oft dient der ganze Körper des Handwerkers als Widerlager und Schraubstock in einem.

Als Anschauungsobjekt ihrer Fähigkeiten haben sie sich ein kleines Bad in ihrer Werkstatt eingerichtet. Gäste werden manchmal eingeladen, an Ort und Stelle japanisch zu baden – selbstverständlich mit Hinoki-Eimer und in einer Hinoki-Badewanne von Okekazu.

桶
数

I Dichter, naturbelassener Wald im Kiso-Tal.
II Mit einem runden Hobel wird die Innenseite geglättet, während die Zehen das Werkstück fixieren.
III Im Vordergrund stehen Wassereimer für japanische Bäder, gefertigt für Kiso Lifestyle Labo von Tree to Green.

IV Viele der Reifmesser und weitere Werkzeuge stammen noch vom Großvater.
V Takumi Ito bearbeitet Dauben für einen kleinen Bottich mit einem Reifmesser.
VI Mit einer Lehre werden die Winkel der Daubenkanten kontrolliert.

VII Die meisten Werkzeuge sind für bestimmte Durchmesser vorgesehen.
VIII Takumi Ito in der Werkstatt, neben ihm halbfertige Eimer.
IX Kesao Ito unter dem Vordach der Werkstatt. Hier liegt oft Holz zum Bewittern.

X Die Reifen für Eimer und andere Produkte sind aus Kupfer, Messing oder geflochtenem Bambus.
XI Die oval ausgeschnittenen Beine des Hockers erinnern an eine zeremonielle Baumfälltechnik aus Kiso für den Ise-Schrein. Design: Tree to Green.

Holz für Gefäße wird bis zu einem Jahr bewittert.

Die Dauben werden innen und außen mit Reifmessern geglättet.

Mit einer langen Fügbank gibt man den Kanten den richtigen Winkel.

伊
藤
今
朝
雄
Kesao Ito leitet den Familienbetrieb Okekazu in Agematsu, Präfektur Nagano, der mit traditionellen Küfertechniken Holzfässer und -eimer (*oke*) für Wasser und Lebensmittel fertigt, sowie Massivholz-Badewannen und -Becken für japanische Thermalbäder (*onsen*) und Badehäuser (*sentō*). Sein Vater Kazuma Ito übernahm ihn 1975 als Lehrling und brachte ihm die Kunst der *oke*-Herstellung bei.

伊
藤
匠
Takumi Ito, die dritte Generation, beendete 2012 am Agematsu Technical College die Ausbildung im holzverarbeitenden Bereich, um fortan beim bekannten *oke*-Macher Nakagawa Mokkougei in Kyoto in die Lehre zu gehen. Seit 2016 arbeitet er im Familienbetrieb, um die Feinheiten des *oke*-Handwerks zu vertiefen.

Die *onsen*-Eimer und Badewannen entstehen zum Teil in Zusammenarbeit mit zeitgenössischen japanischen Designern. Beispielsweise kooperieren Tree to Green mit Okekazu bei einigen Projekten, auch

„Hinoki-Holz ist wasserabweisend, es riecht gut und ist antibakteriell, deshalb verwenden wir es für Schneidbretter. Und es sieht schön weich aus. Es ist sehr japanisch. Jahrhundertelang wurden Hinoki und Sawara bevorzugt für die typischen Badehocker, aber auch für Bottiche und andere Küchenutensilien verwendet. Auch heute nutzen wir das Holz für unsere Küchen- und Badeprodukte, und wir bauen ein Babybett aus Hinoki, weil der Geruch helfen kann Babys zu beruhigen. Wir versuchen, neue und überraschende Produkte herzustellen. Kiso-Hinoki ist sehr charakteristisch für diese Gegend und ich denke, es ist das beste Hinoki-Holz in Japan und sogar in der Welt."

Zitat aus dem Interview mit Takanori Kosegi, Mitbegründer von Tree to Green

weil sich Betriebsgründer Kazuma Ito und der Großvater von Takanori Kosegi in früheren Jahren kannten.

Die Heimat der traditionell aus Sugi (Japanische Zeder) gefertigten japanischen Böttcherwaren ist die Präfektur Akita, aber auch in anderen Regionen haben sich Böttcher angesiedelt. Aufgrund des großen Vorkommens von hervorragend geeigneten Hölzern wie Hinoki und Sawara ist das Kiso-Tal ein perfekter Ort für dieses Handwerk. Die traditionellen Techniken und die meisten Werkzeuge, mit denen die hölzernen Behältnisse hergestellt werden, wie Reifmesser und Hobel, wurden in der Muromachi-Zeit (1336–1573) entwickelt. Heutige Böttcherwaren sind nach wie vor traditionelle Gebrauchsgegenstände, schließen aber auch feingeistig gestaltete Konsumgüter mit modernem Touch ein. Sie werden in der japanischen Küche, in Bädern und in größeren Dimensionen auch in der Sake- und Miso-Produktion geschätzt.

Natürlicher Reiskleber und Bambusdübel helfen beim Zusammenfügen der Dauben.

Der konische Zylinder wird temporär mit Drahtreifen zusammengehalten.

Ober- und Unterkante werden per Messer und Hartholzstück geglättet.

Okekazu

桶数

Okekazu

Yamaichi Ogura Rokuro Crafts

**Entziffertem Wuchs
folgt axiale Formgebung,
tangentiale Kraft**

Yamaichi Ogura Rokuro Crafts

ヤマイチ小椋ロクロ工芸所

Yamaichi Ogura Rokuro Crafts

Der Parkplatz neben dem Gebäude fällt schon durch seine Größe auf – sogar Reisebusse finden Platz. An den Seiten liegen massive Baumstämme neben dicken abgesägten Ästen. Der Grund, warum ganze Reisegruppen bis ins Dörfchen Hogami ans obere Ende eines Seitentals in den Wäldern Kisos fahren, heißt *Nagiso rokuro zaiku* – das traditionelle Holzdreher-Handwerk der Region.

Hier befinden sich die Werkstätten von Yamaichi Ogura Rokuro Crafts. Die Kunsthandwerker um Kazuo Ogura drechseln aus dem vollen Hartholz bis zu 100 verschiedene Typen von kleinen, feinen bis hin zu großen, robusten Produkten: Vasen, Becher, Untersetzer, Teller, Schalen, Schüsseln, Tabletts und diverse Behälter. Dafür nutzen sie mehr als 20 verschiedene Holzarten, allesamt in Japan gewachsen.

Die Gestaltung der meisten Arbeiten folgt praktischen oder traditionellen Aspekten. Wandstärken größerer Objekte bleiben gut greifbar und vor allem stabil, wie bei den Schüsseln zum Herstellen von Soba-Nudeln, die einen Durchmesser von bis zu einem Meter haben. Doch auch filigrane Designstücke finden sich darunter, wie eine Serie von Vasen mit elegantem Twist in den Proportionen, die die Schönheit einer einzelnen Blume unterstreichen. Eine Serie von diskusartigen Holzscheiben bildet die zeitgemäße Basis für *ikebana*, der japanischen Kunst des Blumenarrangements. Für Tree to Green (siehe Seiten 144–155) drehen sie azentrische und partiell mit farbigem *urushi* lackierte Teller, auf denen *wagashi* (Süßigkeiten) oder Obst angerichtet wird.

Alle Arbeiten betonen die individuelle, natürliche Schönheit von Maserung und Jahresringen eines jeden Holzstücks. Verzögerungen beim Wuchs, Maserknollen oder auch der Befall von Bakterien mit Verfärbungen im Holz machen jeden Baum spannend und individuell. Aus der Fähigkeit, die gefällten Baumstämme zu lesen, entwickelte sich die Kunst des *Nagiso rokuro raiku*. Aufgrund seiner langjährigen Erfahrung braucht Kazuo Ogura einen Stamm nur anzusehen, um dessen innere Struktur zu erkennen und zu entscheiden, welcher Abschnitt für welchen Zweck am besten geeignet ist. Mit speziellen Säge- und Spaltverfahren werden möglichst viele Werkstücke mit spannenden Besonderheiten zugeschnitten.

Kazuo Ogura begleitet das Holz von seinem Ursprung im Wald bis zur lackierten Arbeit. Er wird oft zum Schlagen der Bäume hinzugerufen und sucht sich die besten Stücke aus. Im Holzlager unter dem Verkaufsraum und in der Werkstatt liegen Tonnen an wertvollen Hölzern in hohen Stapeln – dicke Stämme, quer gesägte oder zu Blöcken zerteilte Baumscheiben, lange Bretter, zugeschnittene kurze Balken und Leisten. Zudem finden sich überall vorgedrehte Halbzeuge in Schüsselform, die auf Leisten unter den Raumdecken gelagert werden. Es ist viel Geduld gefragt, bewittern die Hölzer doch meist ein bis drei Jahre, bei größeren Stücken sogar bis zu zehn oder 30 Jahre.

Die Holzblöcke werden nach ausreichender Lagerung auf speziellen Kopfdrehbänken mit bis zu 20 unterschiedlichen Dreheisen bearbeitet. Erst nach langer Zeit des Lernens beherrscht man deren Anwendung, passend zu Holz, Drehzahl und Werkstück. Jeder Handwerker schmiedet sein Werkzeug in einer kleinen Esse selbst und schärft es während der Arbeit stetig nach. Die fertig gedrehten Produkte werden abschließend mit Schleifpapier bearbeitet und poliert oder lackiert, oft durch das Einreiben von *urushi* ins Holz (*fuki-urushi*) – so wird die Schönheit der Maserung zusätzlich betont. Im großen Verkaufsraum können die Kunden alle Stücke genau betrachten und in die Hand nehmen, bevor sie wieder zurück ins Kiso-Tal fahren.

ヤマイチ小椋ロクロ工芸所

Historische Zeichnung einer Drehbank mit Muskelantrieb über Seile, etwa Mitte des 18. Jahrhunderts.

I Mehrere große Baumabschnitte liegen zum Trocknen am Rand des Parkplatzes.
II Glattschleifen einer Schüssel. Die Handwerker sitzen vor der Kopfdrehbank meist mit den Füßen in einer Vertiefung im Boden.
III Große Baumscheiben müssen oft mehrere Jahre abgelagert werden.
IV Alle Objekte werden aus dem ganzen Holzstück oder selbst vorgedrehten Halbzeugen gefertigt.
V Überall sind Halbzeuge zum Trocknen aufgeschichtet, auch in der Werkstatt für den Holzzuschnitt.
VI Auftragen von *urushi* auf eine Teedose. Andere Objekte schützt ein Polyurethanlack.
VII Mehrere fertige Tabletts aus verschiedenen Hölzern.
VIII Jeder Handwerker schmiedet und schärft seine Werkzeuge selbst.
IX Die kleine Esse für die Dreheisen.
X Schälchen aus dem Holz von Keyaki, Kuri, zwei weiteren Arten Keyaki und Tochi (von oben).
XI Alle Objekte werden innen und außen an der Drehbank geschliffen.
XII Chiyoko Taniguchi, Masami Shibuya, Kazuo Ogura und Shizuko Kanbara (von links).
XIII Teller aus Yamanarashi-Holz, partiell mit *urushi* lackiert. Design: Tree to Green.
XIV UFO-Vasen aus dem Holz von Keyaki, Kurogaki und Tochi, mit rotem *urushi* und Polyurethanlacken.
XV Einige Vasen aus einer Serie aus Sen- und Keyaki-Holz. Design: Hideki Nishiyama.

Schwere Handsägen waren noch in der zweiten Hälfte des letzten Jahrhunderts in Gebrauch.

Kazuo Oguras Vater zersägt per Hand einen dicken Holzstamm, um 1970.

Die aus dem Block auszusägende Form wird mit einer Schablone angezeichnet.

小
椋
一
男

Kazuo Ogura leitet in der fünften Generation den Familienbetrieb Yamaichi Ogura Rokuro Crafts, eine Holzdreherei in einem Seitental in Nagiso, Präfektur Nagano. Schon als junger Mann beschloss er, eines Tages die Firma von seinen Eltern zu übernehmen. Sie waren mit ihrer Arbeit erfolgreich und er wollte die lange Familientradition fortführen.

Die Firma fertigt die vielfältigen Massivholz-Produkte des lokal verwurzelten *Nagiso rokuro zaiku* hauptsächlich aus Hartholz. Neben den gedrehten Produkten stellen sie mit klassischen Schreinertechniken auch hochwertige Möbel her, von japanischen Wohnzimmerschränken über Stühle bis hin zu großen Tischen.

　Um 1970 war die Dreherei noch ein relativ kleiner Betrieb. Die Familie erkannte jedoch die Wichtigkeit hochwertiger Präsentation und baute das große Gebäude mit Werkstätten, Shop und angrenzendem großem Parkplatz.

　Neben Kazuo Ogura selbst übernehmen drei Handwerker und zwei Handwerkerinnen die Prozessschritte: von der Auswahl des Holzes über

Holz aus japanischen Wäldern, das von Yamaichi Ogura Rokuro Crafts verwendet wird:

Asada – Japanische Hopfenbuche
Hōnoki – Japanische Großblatt-Magnolie
Ichii – Japanische Eibe
Ichō – Ginkgo
Kaede – Ahorn
Katsura – Katsurabaum
Kaya – Japanische Nusseibe
Keyaki – Japanische Zelkove
Kihada – Amur-Korkbaum
Koematsu – Kernholz der
Japanischen Kiefer
Kuri – Japanische Kastanie
Kurogaki – Schwarze Persimone
Kusu – Kampferbaum
Kuwa – Maulbeerbaum
Mizume – Zierkirschen-Birke
Nara – (Sommergrüne) Eiche
Natsume – Jujube
Nire – Japanische Ulme
Onigurumi – Japanische Walnuss
Sen – Baumaralie
Shioji – Breitstielige Esche
Tamo – Japanische Esche
Tochi – Japanische Rosskastanie
Yamanarashi – Japanische Pappel
Yamazakura – Japanische Blütenkirsche
Yanagi – Weide

das Bearbeiten des Holzblocks an der Drehbank bis hin zum fertigen oft mit *urushi* lackierten Produkt. Drei weitere Angestellte kümmern sich um Verwaltung und Verkauf – bis zu 90 Prozent ihrer Arbeiten verkaufen sie direkt an ihre Kunden.

　Die Ursprünge der in Japan für gedrehte Holzprodukte bekannten Handwerkskunst lassen sich wohl mehr als 1.100 Jahre zurückverfolgen. Ihre Vertreter, für ihr umfassendes Wissen über die Eigenschaften von Holz und ihre Fachkenntnisse in der Holzbearbeitung berühmt, werden oft auch *kijishi* (in etwa: „Holzmaserungs-Meister") genannt.

　Früher musste ein Arbeiter per Muskelkraft für den Antrieb der einfachen Drehbänke sorgen, während ein anderer das Dreheisen führte. Ab der Mitte der Meiji-Zeit (1868–1912) brachten Wasserräder die Bewegungsenergie auf, später abgelöst durch elektrische Antriebe. Das Handwerk wurde erheblich schneller und einfacher. Das mühsame Zerteilen der massiven Holzstämme mit sehr großen schweren Handsägen und Beilen wurde erst durch die Erfindung kleinerer Band- und Kettensägen vereinfacht.

Bakterielle Verfärbungen sorgen im Tochi-Holz für schöne Muster.

Beim Ablagern von vorgedrehten Schüsseln gibt das Holz weiter Feuchtigkeit ab.

Das Dreheisen wird oft an einem quer gelegten Balken geführt.

Yamaichi Ogura Rokuro Crafts

ヤマイチ小椋ロクロ工芸所

ヤマイチ小椋ロクロ工芸所

OTA MOKKO

**Bunte Hölzer,
fein in Mustern arrangiert,
abstrakte Vielfalt**

Wasser plätschert im alten Itabashi-Yosui-Kanal vorbei, vor langer Zeit für die private Wasserversorgung angelegt. Dahinter rahmen mintgrüne Wellblechwände mit Spuren von Rost und Verwitterung einen kleinen Innenhof ein. Aus der Tür zur Linken duften frische Holzspäne, die metallverkleidete Schiebetür zur Rechten erlaubt den Blick in einen mit Zinkblech verkleideten Raum. Er diente der mäusesicheren Lagerung von Udon- und Soba-Nudeln. In dieser alten, charismatischen Nudelmanufaktur produziert der Kunsthandwerker Ken Ota heute modern inspirierte *yosegi zaiku*-Intarsien unter dem Namen OTA MOKKO (Ota Holzarbeiten).

Bei diesem traditionellen Kunsthandwerk werden abstrakte Mosaike aus kleinsten drei-, vier-, fünf-, sechs- und achteckigen Stäben zusammengestellt und zu Blöcken verleimt. Von diesen schält man dünne Schichten Stirnholz ab und bezieht damit vielerlei Holzgegenstände, oder man arbeitet Stücke aus dem vollen Mosaik-Block.

Ken Otas Konzept ist die Veredelung von Alltagsgegenständen. Widerstandsfähige Lackierungen und angenehme Radien an den Behältnissen sollen ihre tägliche Verwendung komfortabel machen. Mit den hauchdünnen Mosaikfurnieren belegt er Tabletts, Lunch- und Bentoboxen. Aus dem vollen Mosaikblock fertigt er Visitenkartenhüllen, Knöpfe, Untersetzer, Schälchen und Sake-Utensilien. Seine originären zeitgemäßen Muster und spannenden Farbkombinationen sind bestechend. Er will das Handwerk

„Tsubaki", „Hiraori", „Marutsunagi" (von oben) – drei *yosegi zaiku*-Muster von OTA MOKKO.

nicht neu erfinden, sondern meisterhaft dessen Potenzial ausloten.

Yosegi zaiku scheint das genaueste und kleinteiligste Holzhandwerk zu sein, muss man doch auf 0,1 mm genau arbeiten, um Lücken oder schiefe Muster zu vermeiden. Diese Exaktheit ist bei allen der etwa 20 Arbeitsschritte einzuhalten, von der Planung des Musters über das Sägen der Leisten, das Abschälen der Furniere bis hin zum Verleimen der Produkte.

Nicht weniger als 25 der schönen von Natur aus farbigen Hölzer nutzt Ken Ota für die eigene Produktion. Davon stammen 22 von Baumarten aus Japan und drei aus zertifizierten internationalen Quellen. Ihn interessieren dabei Hölzer, die andere Kunsthandwerker nicht benutzen. Wenn es geht, nimmt er den ganzen Stamm in Augenschein und lässt ihn sich in Bretterform liefern. Das weitere Zerteilen, Sägen, Spalten und Schälen übernimmt er selbst.

Jedes Jahr entwickelt OTA MOKKO ein neues abstraktes Muster. Dabei spielt Symmetrie mal eine größere, mal eine weniger wichtige Rolle. „Hiraori" (Leinwandbindung) heißt ein Muster, das wie gewebt aussieht, „Marutsunagi" aus Achtecken erscheint wie viele verbundene Kreise, „Yatara" (zufälliges Muster) hat ein eher robustes und lebendiges Aussehen. „Tsubaki" erinnert an Blüten von Kamelien, und „Bara" heißt ein fein ziseliertes, von Rosenblüten inspiriertes Muster. Jedes Mosaik wird nur durch die Farben und Maserungen der wertvollen Hölzer gebildet, was vielleicht der wichtigste Aspekt ist.

Bei OTA MOKKO sind Ken Ota und seine Frau Umi Familie und handwerkliches Team zugleich. Sie übernimmt viele Schritte beim Zusammenstellen der Muster, leitet den Verkauf im Laden und berät mit ihrem Mann Ideen zu neuen Produkten. Ihr beider Vorteil ist der vertrauensvolle und ehrliche Umgang miteinander, ohne die traditionellen Gepflogenheiten zwischen Meister und Lehrling beachten zu müssen. So sind sie ein erfolgreiches Team zweier Gleichgesinnter.

I   Der Innenhof von OTA MOKKOs Werkstatt befindet sich in einer ehemaligen Nudelfabrik in Odawara.
II   Die Muster werden aus vorbereiteten Stäben farbiger Hölzer verschiedenster Baumarten zusammengestellt.
III   Die alte Werkstatt hat eine reizvolle Atmosphäre.

IV   Ken Ota fügt bereits mit Mustern belegte Boxen zusammen.
V   Reizvolle alte *yosegi zaiku*-Endstücke liegen auf einem niedrigen Tischchen.
VI   Ken Ota am Tisch, an dem seine Frau oft die Muster zusammenstellt.

VII   Umi Ota an der Tür zum werkstatteigenen Laden.
VIII   Die sorgfältig ausgewählten Hölzer sind von Natur aus farbig.
IX   Wo früher Nudeln trockneten, lagern heute wertvolle Hölzer.
X   Die Sake-Becher und der flache Untersetzer sind aus dem vollen Block gedreht.

XI   Das „Tsubaki"-Muster auf der Box ist von Kamelien inspiriert.
XII   Lunchbox (*jūbako*) mit verschieden dimensionierten „Hiraori"-Mustern in Boden und Deckel.
XIII   Für das kraftvolle „Bara"-Muster auf dieser Bentobox standen Rosenblüten Pate.

Umi Ota stellt Musterblöcke zum späteren Abschälen der Schichten zusammen.

Das „Hiraori"-Muster erinnert an eine Webstruktur.

Farbtafeln zeigen verschiedene Muster mit unterschiedlichen Hölzern.

太
田   **Ken Ota** produziert in Odawara,
憲   Präfektur Kanagawa, unter dem
Namen OTA MOKKO Alltagsgegen-
stände mit abwechslungsreichen
Mustern und Holzfärbungen als
moderne Interpretationen des klassischen *yosegi zaiku*-Handwerks.

Er erlernte zunächst die Grundlagen
der Holzbearbeitung an einer Berufsschule in Saitama, wo ihm zum
ersten Mal *yosegi zaiku*-Intarsien
begegneten. Fasziniert von deren
Vielfältigkeit entschloss er sich,
das traditionelle Kunsthandwerk in
dessen Ursprungsregion Odawara-
Hakone zu erlernen. Er fand eine
Anstellung bei Kiro, einem bekannten lokalen Produzenten von *yosegi
zaiku*, und zog mit seiner Familie
2003 nach Odawara. Nach acht
Jahren als angestellter Kunsthandwerker wollte er auf eigenen Beinen
stehen und gründete sein eigenes
Studio OTA MOKKO. Seine Frau
Umi Ota arbeitet seit einigen Jahren
unterstützend mit und ist zugleich
seine kreative Partnerin. 2015 nutz-
ten sie die Gelegenheit, eine größere
Werkstatt und einen angeschlosse-
nen Shop in einer ehemaligen Fabrik
zu eröffnen.

Holz aus internationalen Wäldern,
das von OTA MOKKO verwendet wird:
Purpleheart – Amaranth
Rosewood – Palisander
Amoora – Mahagoni

Holz aus japanischen Wäldern,
das von OTA MOKKO verwendet wird:
Makaba – Lindenblättrige Birke
Urushi – Japanischer Lackbaum
Enju – Japanischer Schnurbaum
Kenponashi – Japanischer Rosinenbaum
Jindai-nire – Subfossile Ulme
Raidenboku – Gelber Trompetenbaum
Ichō – Ginkgo
Shurizakura – Hokkaidō Vogelkirsche
Akagi – *Bischofia javanica*
Nigaki – Bitterholz
Tamo – Japanische Esche
Azukinashi – Erlenblättrige Mehlbeere
Jindai-tamo – Subfossile
Japanische Esche
Kuwa – Maulbeerbaum
Kaede – Ahorn
Mizuki – Hartriegel
Onigurumi – Japanische Walnuss
Ichii – Japanische Eibe
Kihada – Amur-Korkbaum
Fujiki – Japanisches Gelbholz
Hōnoki – Japanische Großblatt-Magnolie
Yamamomo – Pappelpflaume

Aufgeführt in der Reihenfolge von Bild VIII
(von vorne nach hinten).

In den Ausläufern des Hakone-
Tals werden seit Hunderten Jahren
Holzintarsien hergestellt. Die Arten-
vielfalt lokaler Bäume bietet viele
Gestaltungsmöglichkeiten durch
die natürliche Färbung ihrer Hölzer.
Der nahe Fuji und zahlreiche *onsen*
(heiße Quellen) zogen Reisende an,
die Marketerie-Objekte gerne als
Souvenirs mitnahmen. Früher gab es
in der Region etwa 50 spezialisierte
yosegi zaiku-Werkstätten, von
denen heute nur noch 15 übrigge-
blieben sind.

„Jede Werkstatt verwendet
unterschiedliche Hölzer.
Mich faszinieren solche, die
niemand sonst verwendet.
Wenn ich in einem meiner
Bücher eine neue Holzart
finde, die mir gefällt, frage
ich mehrere Holzhändler
an und fahre direkt dort-
hin, um einen Blick darauf
zu werfen. Ich möchte es
mit eigenen Augen sehen,
denn es gibt viele individuelle Unterschiede in jedem
Baumstamm." Ken Ota

Abgeschälte Schichten werden auf Holzflächen geleimt und zu Kästchen montiert.

Einige Boxen während der Fertigung.

Während der Produktion fallen hauch-
dünne Verschnittstücke an.

OTA MOKKO

X

Kazuto Yoshikawa

**Die schöne Seele
erspürt das Gewachsene,
würdigt den Ursprung**

Kazuto Yoshikawa

吉川 和人

Kazuto Yoshikawa

Ein alter Stuhl, ein von ihm gefertigter Sprossenstuhl, ein Notenständer aus rauem Holz, ein verwitterter Ast, ein Gorilla, ein Engel und der Tod stehen auf Regalböden, die Kazuto Yoshikawa an die Rückwand gebaut hat. Hier, in der Werkhalle einer Schreinerei in Tokyo, fertigt der Kunsthandwerker seine aus dem vollen Holz gearbeiteten Stücke – längliche Schneidbretter mit schönen Maserungen, elegante Löffel, schlanke Trinkbecher, Teller, Broschen, Döschen und inspirierende Figuren aus übrig gebliebenen Holzresten.

Ihn inspirieren dabei auch westliche Gestaltungsansätze, im Zusammenspiel mit japanischer Ästhetik. Einerseits greift er auf seine Arbeitserfahrung in einer internationalen Designmöbelfirma in Tokyo zurück, zum anderen motivieren ihn die Arbeiten von Vordenkern wie der Architektin und Designerin Charlotte Perriand mit ihrer besonderen Beziehung zu Japan und natürlichen Materialien oder von Künstlern wie dem Maler Joaquín Torres-García, der eine treibende Kraft im Konstruktivismus war. In den bisweilen zufälligen und ungeplanten Wegen der modernen Malerei beeindruckt ihn zudem die besondere gestalterische Kraft des Unbewussten.

Bei seinen freien Arbeiten interessieren ihn Hölzer mit Besonderheiten, beispielsweise mit bakteriellen Einfärbungen. Holz unterscheidet sich in Farbe, Maserung, Geruch und Gewicht und vermittelt ein angenehmes Gefühl, wie es nur natürliche Materialien wie Leder, Baumwolle und Leinen vermögen. Manche Hölzer, aus denen Schalen

Für den Holzsessel „My Tree" für die Stadtbibliothek in Toyooka, Präfektur Hyōgo, hat sich Kazuto Yoshikawa von einem Essay von Kenzaburō Ōe inspirieren lassen, in dem dieser die Beziehung zwischen Bäumen und der menschlichen Seele beschreibt.

gedreht werden, haben oft noch eine Restfeuchte. So bleibt ihre Oberfläche rau, sie können die Form verändern und manchmal gar Risse bekommen. Bei Kazuto Yoshikawa darf sich die Natur in die Gestaltung einmischen und bleibt so in vielen Stücken sichtbar.

Für seine Auftragsarbeiten wählt er sorgfältig charakteristische Hölzer aus. So entstehen modern interpretierte Sideboards, Schränke, Tische oder Ausstellungsvitrinen. Dabei nutzt er gerne Massivholzverbindungen wie bei klassischen japanischen Möbeln. Die Hölzer bezieht er von Holzmärkten in Kakamigahara und Takayama, Präfektur Gifu. Manchmal nimmt er sogar Stämme, für die andere keine Verwendung haben. Ab und an kann er auch auf städtische Bäume zurückgreifen, die aus Altersgründen oder wegen Baumaßnahmen zu fällen sind. So

erhalten sie in respektvoller Begegnung mit dem Kunsthandwerker ein zweites Leben.

Ein besonderes Anliegen ist ihm die Vermittlung eines didaktischen Ansatzes, wie er bei einem Möbelprojekt der Jiyu Gakuen-Schule sichtbar wird. Die 1921 gegründete Privatschule in Higashikurume, einem Vorort Tokyos, konzentriert sich in ihrem Lehrplan auf praktische und grundlegende Erfahrungen im täglichen Leben. Die Schulkinder bauen ihr eigenes Gemüse an und kümmern sich um die schuleigenen Wälder in der Präfektur Saitama. Für ein Dreijahresprojekt beauftragte die Schule Kazuto Yoshikawa und Kollegen mit der Herstellung von 300 neuen Schreibtisch- und Stuhl-Sets. Einige der Schüler beteiligten sich daran, indem sie beim Fällen der Bäume in einem Wald in der Präfektur Gifu zusahen und bei einzelnen Herstellungsschritten in der Schreinerei der Schule mithalfen. So führt ihr Wissen um die ursprüngliche Herkunft der Materialien auch zu einem tieferen und wesentlichen Verständnis der Dinge.

Massenprodukte, Fast Food und Fast Fashion machen nach Kazuto Yoshikawas Ansicht das Leben vor allem bequemer, wohingegen das Herstellen von Dingen mit den eigenen Händen das Leben tatsächlich bereichern kann – durch die emotionale Verbindung zwischen Hand und Herz. Auch in seinen Workshops möchte er den Menschen vermitteln, dass es neben den Hightech-Unterhaltungsmöglichkeiten in einer Megacity wie Tokyo auch einfache, ursprüngliche, ja geradezu elementare Formen der Freude geben kann.

吉川 和人

I Der Lagerplatz eines Händlers in Kakamigahara, der ihm Holz liefert.
II Kazuto Yoshikawa an seiner Drehbank.
III Er arbeitet mit Massivholz, aber auch mit langen, gesägten Brettern.
IV Kazuto Yoshikawa begutachtet eine fast fertiggestellte Schale.

V Die Oberlichter, durch die Tageslicht fällt, sorgen für eine schöne Atelieratmosphäre.
VI Gedrehte Arbeiten entstehen auf einer Drehbank mit Reitstock.
VII Durch Betonung der individuellen Maserung bleibt der natürliche Ursprung sichtbar.

VIII Einige der Schneidbretter in unterschiedlichen Bearbeitungsstufen.
IX Einfache Holzstücke können ganze Geschichten erzählen.
X Kazuto Yoshikawa denkt über Grenzen hinweg.
XI Schneidbretter aus Rosskastanie, Walnuss und Kirsche.

XII Die Skulpturen aus Holzresten regen die Phantasie an.
XIII Teller, Becher, Schälchen, Broschen, Löffel und Dessertmesser aus verschiedenen Hölzern.
XIV Aus Japanischer Eiche gedrehte Schalen mit beabsichtigten Rissen und Verformungen.

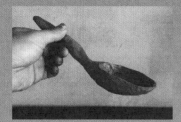
Im Alter von etwa zehn Jahren schnitzte er diesen Löffel für seine Mutter.

Aus dem Teil eines Alleebaums aus Tokyo soll eine Schale entstehen.

Löffel in verschiedenen Formen und aus einer Vielzahl von Hölzern.

吉
川
和
人
Kazuto Yoshikawa ist ein Kunsthandwerker in Setagaya, Tokyo, der aus Holz gearbeitete Alltagsobjekte sowie anspruchsvolle Massivholzmöbel im Kundenauftrag fertigt und mit freien Arbeiten erfolgreich von japanischen und internationalen Galerien vertreten wird. Er studierte Handelswissenschaften an der Keiō-Universität in Tokyo und arbeitete zwölf Jahre für Cassina IXC, dem japanischen Vertriebspartner der berühmten Designmöbel aus Italien.

Aufgewachsen in der ländlichen Region von Fukushima, verbrachte Kazuto Yoshikawa als Kind viel Zeit im spielerischen Umgang mit Holz und dessen Ursprung, den Bäumen. Konfrontiert mit den landesweiten Auswirkungen des verheerenden Tōhoku-Erdbebens im Jahr 2011, entschied er, seinen Weg in eine andere Richtung fortzusetzen und begann, die Grundlagen der Holzbearbeitung in einer Berufsfachschule der Präfektur Gifu zu erlernen. Seitdem folgt er seiner eigentlichen Berufung, der Erschaffung wunderbarer Dinge aus Holz mit den eigenen Händen – stets unter der Prämisse

eines respektvollen Umgangs mit den natürlichen Ressourcen.

Eine essenzielle Aufgabe künstlerisch arbeitender Handwerker ist es, Käufer für die eigenen Arbeiten zu finden. Die Anzahl passender Galerien ist begrenzt und die talentierten Künstler sind zahlreich. Kazuto Yoshikawa kombinierte seine herausragenden Arbeiten und sein besonderes Konzept mit seinem Präsentationstalent und konnte erste Erfolge verbuchen. In der Folge fanden sich Förderer, die mithelfen, ihn einem größeren Publikum bekannt zu machen.

„Ich mag Holz, das nicht perfekt ist. Ich verwende gerne Holz mit einer unregelmäßigen Maserung, weil es mich daran erinnert, dass das Holz einst ein Leben als Baum hatte. Holz ist ein biotisches Material. Solche Faktoren, die ich nicht kontrollieren kann, geben meinen Arbeiten manchmal das Gefühl, lebendig zu sein."

„Ich glaube, dass die Menschen genug haben von industriellen Massenprodukten. Sie machen unser Leben bequemer, aber sie können unser Leben nicht wesentlich bereichern. Von Hand gefertigten Dingen wohnt ein Gefühl des Herzens inne, denn Hände und Herz sind direkt miteinander verbunden. [...] Ich möchte meinen Kindern zeigen, wie ich arbeite. Es gibt viele Möglichkeiten Geld zu verdienen – ich möchte ihnen beibringen Dinge auszuprobieren. Es ist einfach, sich in einem Unternehmen anstellen zu lassen und ein Gehalt zu bekommen. Aber mit deinen Fähigkeiten Dinge herzustellen, die dir gefallen, und so Geld zu verdienen, ist nicht einfach. Unabhängig zu sein, ist nicht einfach. Ich möchte ihnen die Möglichkeiten im Leben zeigen."

Einige schnelle Skizzen für Figuren aus Holzresten.

Teil der Jiyu Gakuen-Schule („Freedom School") in einem Vorort von Tokyo.

Die ersten neuen Schultische für die Jiyu Gakuen-Schule kurz vor der Fertigstellung.

Kazuto Yoshikawa

吉川　和人

Kazuto Yoshikawa

吉川 和人

Koichi Onozawa

**Aus der Erdscholle,
im groben Grund verborgen,
steigt ein feiner Geist**

Koichi Onozawa

小野澤　弘一

Zahlreiche große und kleine Reisfelder füllen die Lücken zwischen den Wegen zu vereinzelten Gehöften. Versteckt hinter hohen Bäumen gruppieren sich einige flache Schuppen um ein Wohnhaus, dessen leuchtend blaues Ziegeldach zwischen den Zweigen hindurchscheint. In der Ecke eines Geräteschuppens befindet sich ein kleiner Verschlag aus Sperrholz, ausgestattet mit einer einfachen Schiebetür, einer Töpferscheibe, einem aus dicken Balken gezimmerten Tisch, einem Regalbrett an der Wand und einem alten Bürodrehstuhl. Es ist das Keramikstudio von Koichi Onozawa, direkt neben dem Wohnhaus gelegen, in dem er mit seiner Frau lebt. In einem zweiten Schuppen steht ein großer gasbetriebener Brennofen, in dem er seine Arbeiten brennt.

Er braucht nicht viel, um arbeiten zu können. Genügsam und gelassen in sich ruhend, möchte er zugleich nichts weniger erschaffen als etwas so Großartiges wie die Natur, etwas, das jeden Menschen berührt, unabhängig vom kulturellen Hintergrund. Seine Arbeiten sollen einfach und kraftvoll wirken wie die aus früheren Zeiten – ähnlich der archäologischen Funde aus einem Hügelgrab (ca. 700 n. Chr.) in der Nähe –, doch zugleich modern und gegenwärtig. Letztlich sind sie tatsächlich alterslos, erdig und irgendwie immateriell zugleich.

Noch heute verwendet Koichi Onozawa den gleichen Ton aus der Erde von Seto, Präfektur Aichi, mit dem er schon während seiner Ausbildung die Feinheiten des Töpferns kennenlernte. Die mineralischen Unterschiede sind in der charakteristischen Textur seiner Arbeiten

Urushi-Baum der von Koichi Onozawa unterstützten Rekultivierungsinitiative.

spürbar. Er mischt seinen Ton aus 20-kg-Blöcken eines rotbraunen und eines graugrünen Tons, indem er durch mehrmaliges Schneiden der Blöcke ein dreidimensionales Schachbrett zusammenlegt und dieses beim kräftezehrenden Kneten zu einer gleichmäßig braunen Tonmasse vermengt. Für ihn ist dieser Ton wie ein Partner, mit dem man, wenn man ihn gefunden hat, gemeinsam durchs Leben geht.

Aus ihm formt er objekthafte Schalen und elegante Vasen mit geringen Wandstärken und filigranen Rändern. Alles entsteht zunächst rotationssymmetrisch auf der Töpferscheibe, geglättet durch spezielle Holzschablonen, einen Lederstreifen oder seine alte Kreditkarte. Bei vielen Stücken – zylindrischen Gefäßen, bauchigen Vasen und offenen Schalen – schleift und

glättet er nach dem Trocknen noch die Außenseite und verringert damit zeitgleich die Wandstärke.

Einige der Schalen drückt Koichi Onozawa direkt nach dem Drehen aus gestalterischen Gründen in eine asymmetrische Form. Anderen fügt er einen scharfen Knick nach innen oder außen zu, oder sie erhalten nur kleine Standflächen. Inspiriert durch die besagten Grabbeigaben, die ohne Böden geschaffen wurden, da es ihr einziger Zweck war, mit den Toten begraben zu werden, möchte er seinen Arbeiten eine Fragilität, Nervosität und ein Gefühl der Unsicherheit mitgeben. Diese Objekte sind Ausdruck seiner künstlerischen Empfindung, im Gegensatz zu einigen seiner anderen reduzierten Keramiken, die er für den täglichen Gebrauch schafft.

Nach dem Brennen erscheinen die Arbeiten in einem warmen Grau, durchsetzt von kleinen hellen Punkten und weißen Linien – Schönheiten der Natur. Die Stücke fühlen sich glatt und weich an. Manche sind zusätzlich mit rotem oder schwarzem *urushi* lackiert, oder er versieht sie mit silbernem Zinnpuder, wodurch alle Feinheiten sichtbar werden. Wie dünn selbst die größeren Gefäße sind, hört man an ihrem harmonischen glockengleichen Klang, wenn man sie versehentlich anstößt. Man erschrickt fast und fürchtet, sie in Scherben zu sehen. Doch sie sind stabil und man wünscht ihnen ein ebenso langes Leben wie den unbeschädigten Grabbeigaben. Koichi Onozawa hofft, dass seine Arbeiten weltweit die Herzen der Menschen berühren, so wie er es ausdrückt „jenseits von Zeit, Raum und allen Unterschieden".

小野澤弘一

I Der Brennofen im kleinen Schuppen wird von Gasflaschen befeuert.
II Koichi Onozawa im Atelier vor dem Mischen zweier Tonarten.
III Die zylindrischen Vasen wurden mit farbigem und klarem *urushi* lackiert.

IV Der Keramiker formt in seiner charakteristischen Weise eine kleine Schale.
V Eine getrocknete Schale wird zum Glätten der Oberfläche nachträglich abgeschliffen.
VI Der frühere Geräteschuppen ist ein ideales Atelier mit viel Platz.

VII Die Töpferscheibe ist natürlich das wichtigste Werkzeug eines Keramikers.
VIII Die Arbeiten passen gut in klassische japanische Wandnischen (*tokonoma*).
IX Koichi Onozawa in seinem Atelier.

X Eine Serie kleiner unregelmäßig geformter Schalen.
XI Mit Metallpulver und *urushi* beschichtete Vase und Schale. Die Vase dahinter ist unbehandelt.
XII Detail einer mit Metallpulver veredelten Vasenoberfläche.

Vor dem Töpfern wird der Ton kraftvoll geknetet.

Mit einfachen Hilfsmitteln wird die Wandstärke einer Schale reduziert.

Eine lederharte Schale wird in eine asymmetrische Form gebogen.

小
野
澤
弘
一

Koichi Onozawa arbeitet erfolgreich als Studiokeramiker in Nakagawa, Präfektur Tochigi. Ursprünglich kommt er aus Tokyo und studierte dort Volkswirtschaftslehre, wollte aber nach dem Abschluss lieber etwas machen, das er wirklich liebt. Aufgrund seines bereits geweckten Interesses an keramischen Arbeiten entschloss er sich zu einer weiteren Ausbildung an der bekannten Keramikschule in Tajimi City, Präfektur Gifu, die er 2008 mit einem Abschluss in Keramikdesign beendete.

Während der Zeit in Tajimi ließ sich Koichi Onozawa besonders von Keramiken aus der Momoyama-Zeit (1573–1603) und von Arbeiten aus Korea zu seinen dekorativen Stücken wie Vasen oder objekthaften Schüsseln inspirieren. Seit 2011 lebt er mit seiner Frau Noriko im ländlichen Nakagawa, wo ihn die dortige Tradition des Töpferns von Gebrauchskeramik für lokal angebauten Reis dazu inspirierte, auch praktischere Schalen und Teller anzufertigen. Gleichermaßen faszinieren ihn Artefakte aus der Kofun-Zeit (ca. 300–700 n. Chr.), die im nahen

„Der Grund, warum einige meiner Arbeiten einen sehr schmalen Boden haben, ist, ihnen einen Ausdruck der Unsicherheit oder Nervosität zu geben. Sie sehen instabil aus. Die Inspiration für diesen Stil kommt von der Gestaltung alter Keramiken. Die Töpfer haben sie damals nur als Grabbeigaben gefertigt. Diese Tongefäße hatten oft keinen Boden, sondern nur ein Loch. […] In dieser Gegend gibt es einige alte Grabstätten und es werden viele Töpferarbeiten ausgegraben. Für mich ist es ein Wunder, dass so alte Gefäße bis heute erhalten blieben. Das berührt mich sehr. Ich spüre auch die Energie dieser Arbeiten. Ich möchte meine eigenen Objekte mit dem gleichen Maß an Energie gestalten."

Ōtawara bei frühen archäologischen Ausgrabungen gefunden wurden.

Mit seinen Arbeiten möchte er möglichst viele Menschen erfreuen, unabhängig von Herkunft, Sprache, Religion und Hautfarbe. Er spürt die grundlegende Gleichheit und Verbundenheit aller Menschen, auch durch geteilte Empfindungen beim Betrachten schöner Dinge.

Für japanische Kunsthandwerker ist es wichtig, im Ausland wahrgenommen zu werden und andere Regionen der Erde zu bereisen. So können sie von anderen Kulturen lernen und gemeinsame Werte ausdrücken, idealerweise durch ihre Arbeiten selbst.

„Ich möchte, dass meine Arbeit auch mein Kommunikationsmittel ist, indem ich sie Menschen außerhalb Japans, aus anderen Kulturen, mit unterschiedlichen Hintergründen und Sprachen zeige. Wenn meine Arbeit sie irgendwie berühren kann, würde mich das sehr freuen."

Die Innenseite einer Schale wird ausgeschabt, um die Wandstärke zu reduzieren.

Mit einem weichen Pinsel wird Zinnpulver auf feuchtes *urushi* gestaubt.

Das sofortige Auswischen des Metallpulvers erzeugt eine reizvolle Oberfläche.

Koichi Onozawa

小野澤 弘一

小野澤 弘一

Shozo Michikawa

**Verdrehte Achsen
im feuchten Ton, Abbilder
kraftvoller Schönheit**

Shozo Michikawa

道川　省三

Früher wurden auf dem Gelände mit den niedrigen Holzbauten und Tonstücken auf den Wegen Keramikkacheln produziert. Alles wirkt ein wenig schief. Durch alte Milchglasscheiben fällt gedämpftes Licht in den kleinen Raum, in dem eigenartig verdrehte Objekte auf Brettern und Tischen aus groben Balken stehen. Arbeitsame Hände haben überall Spuren aus Ton hinterlassen. Mit diesem Ort ist Shozo Michikawa tief verwurzelt. Es ist sein erstes Studio, dort arbeitet er seit inzwischen 40 Jahren.

Hier entstehen einzigartige Keramikobjekte, voller Spannung und elementarer Kraft. Visualisierte Zeit, eingefroren im Moment der Rotation. Geometrische Form und keramisches Grundprinzip – die künstlerische Quadratur des Kreises.

Er suchte sich diese Ausdrucksweise mittels „Trial-and-Error". Formgebung durch vertikales Wegschneiden, horizontales Teilen in Blöcke, Verdrehen um die vertikale Achse. Innen entsteht ein Hohlraum und wird ausgeweitet. Langsame Torsion der Blöcke mit dosierter Kraft, Dehnen und Verdrehen. Die Außenhaut reißt auf. Verschließen der Öffnung. Alles wird auf den Kopf gestellt, eine Öffnung geschaffen. Dynamisches Formen der Oberseite. Begutachten. Shozo Michikawa braucht nicht einmal acht Minuten dafür.

Es ist ein konzentrierter Prozess, den er mit einem Ziel vor Augen und der ihm innewohnenden Energie ausführt. Die Kombination von Zufall, Kraft und Langsamkeit ermöglicht Shozo Michikawa das Setzen eines kontrollierten Impulses. Er unterstützt den Ton lediglich dabei, seine endgültige Form mit dynamisch-rauem Charakter zu finden.

Einige Beispiele für Shozo Michikawas weltweite Ausstellungs-, Demonstrations- und Workshopaktivitäten (von oben): 2016 im New Century Crafts Museum, Seto. 2016 in Faenza, Italien. 2005 in der Verbotenen Stadt in Peking, China.

Auch beim Brennen gibt er Kontrolle an die Elemente ab. Das Holzfeuer im *anagama* (Tunnelofen) führt ein Eigenleben. Asche wirbelt auf und beeinflusst die Oberflächen der oft miteinander kombinierten Glasuren. Natürliche Ascheglasur in Rot-Braun-Grün, weiße *kohiki*-Glasur, manchmal mit dunklen Eisensprengeln, Blasen werfende *shino*-Glasur. Manche Stücke aus dem *anagama* brennt er ein zweites Mal im Gasbrennofen oder umgekehrt,

um absichtliche Störungen, glänzende und matte Bereiche oder Farbveränderungen zu erzielen – beispielsweise durch partielles Aufbringen von Silberglasuren oder das erneute Brennen von Objekten in mit Holzkohle gefüllten keramischen Brennbehältern, wodurch sich die Objektoberfläche schwarz verfärbt. Shozo Michikawa verfolgt oft solche kontrastierenden Momente, und doch ist alles in Balance.

Mit der Öffnung in der Oberseite erhalten alle Arbeiten die Funktion und Identität, die ein Stück Ton in ein Objekt verwandelt. Hohe Skulpturen ähneln meist Vasen. Kleine Objekte haben manchmal einen Deckel wie die Wasserbehälter für Teezeremonien (*mizusashi*). Kannenobjekte haben Deckel und Henkel. Doch auch seine Schalen werden wohl nur selten als solche genutzt. Die expressive Form und Glasur macht sie eigenständig, sie brauchen keinen Inhalt.

Shozo Michikawa wirkt sehr jugendlich, rastlos und ist ständig im kommunikativen Austausch. Das morgendliche Walking in der Natur ist seine Quelle der Inspiration – verdrehte alte Bäume, aufgesprungene Rinde, Ackerschollen. Er lässt sich von der Energie leiten, von der Dynamik des Augenblicks. Kumulierte Natur in Ton. Er selbst nennt es „Nature into Art".

Sein Wesen und seine Objekte überzeugten auch Anita Besson (1933–2015), die er bei seiner ersten London-Reise kennenlernte. Die bekannte Galeristin für Keramikkunst förderte und vernetzte ihn weltweit. Es war der Grundstein für seinen internationalen Erfolg. 2017 feierte Shozo Michikawa sein 40-jähriges Jubiläum als Keramiker.

道川省三

I   Eingelassene Tonkacheln dienen der Bodenbefestigung.
II   Shozo Michikawa trennt ein fertiges Schalenobjekt mit Draht von der Töpferscheibe.
III   Innenansicht des Studios mit dem Tisch für das Kneten des Tons.

IV   Vertikal verdrehtes kleines Vasenobjekt mit natürlicher Ascheglasur.
V–XII   Nachbearbeiten einer Schale und ein modelliertes Objekt. Die Lebhaftigkeit und Freude des Keramikers spiegelt sich oft in seinen Arbeiten wider.

XIII   Shozo Michikawa im Studio an der Töpferscheibe. Im Hintergrund trocknen einige seiner Arbeiten.
XIV   Im Studio stehen einige Arbeiten mit weißer *kohiki*-Glasur.
XV   Wird ein Objekt während des Brenn-

vorgangs mit Kohle bedeckt, färbt es sich schwarz.
XVI   Drei Arbeiten auf einem niedrigen Tisch in seinem Wohnhaus.
XVII   Detail eines stark verdrehten Objekts mit natürlicher Ascheglasur.

Feuchter Ton lässt sich leicht mit Draht in Form schneiden.

Wichtig ist das Zentrieren des Tonblocks auf der Töpferscheibe.

Die dynamische Form entsteht innerhalb weniger Minuten.

道
川
省
三

Shozo Michikawa studierte zunächst Volkswirtschaftslehre in Tokyo. Nach dem Abschluss arbeitete er zwei Jahre in einer Firma, während er abends Töpferkurse belegte. Die Erfahrung, etwas selbst zu erschaffen, faszinierte ihn nachhaltig. Bald entschloss er sich, mit seiner Frau Masae nach Seto, Präfektur Aichi, zu gehen, um sich als Studiokeramiker ausschließlich dieser Arbeit zu widmen.

Nach einer Phase der Herstellung von Gebrauchskeramik fokussierte sich Shozo Michikawa auf künstlerische Stücke. Er stellt weltweit in Galerien und Museen aus und demonstriert seinen Schaffensprozess an der Töpferscheibe in gefeierten Live-Performances. Seine Werke erinnern oft an die großartige Natur Hokkaidōs mit ihren Wäldern, Vulkanen und Schneemassen – es ist der Ort, an dem er aufwuchs.

2011 hat er das International Ceramic Art Festival im idyllischen Sasama, Präfektur Shizuoka, mitbegründet. Alle zwei Jahre können sich hier junge japanische und internationale Keramiker präsentieren und inspirieren lassen. Auch baute er

hier seinen *anagama*, den er etwa zweimal im Jahr zum Brennen nutzt.

Schon vor Jahrhunderten wurden in Japan Keramikstile, Glasuren und Brenntechniken aus China und Korea aufgegriffen und auch unter dem Einfluss der japanischen Teezeremonie weiterentwickelt. Einzigartige Stile und Objekte entstanden, die das weltweite Ansehen der japanischen Keramikkultur mitbegründeten. Heute macht es erst ein eigener unverwechselbarer Stil für Studiokeramiker einfacher, Käufer für die eigenen Werke zu finden.

„Viele Begriffe in der Keramikwelt sind japanische Begriffe, wie *raku, shino* oder andere Glasuren. Sie bilden eine gemeinsame Sprache, die jeder kennt. Ich selbst habe auch mit sehr funktionalen Arbeiten angefangen, aber das hat sich geändert, weil ich mich irgendwann wie ein Geschäftsmann fühlte, der sich um viele Bestellungen zu kümmern hat."

„Ich glaube nicht an Lehrer oder Bücher. Neues muss ich ausprobieren, nur so kann ich verstehen. Andere verstehen durch Bücher, aber ich muss die Dinge selbst versuchen. Natürlich ist es unmöglich, dreieckige Formen auf der Töpferscheibe zu drehen. Deshalb forme ich zunächst einen dreieckigen oder quadratischen Block und lege ihn dann auf die Scheibe. […] Mich interessiert, wie sich der Ton verändert, wenn er gedehnt und verbogen wird oder wenn er bricht. Es ist, als würde ich ständig mit dem Ton sprechen. Ich mag nicht die Kontrolle über alles haben. Wenn ich eine Arbeit beginne und sehe, dass sie sich anders entwickelt, als ich es mir vorgestellt habe, finde ich das sehr interessant. Ich helfe dem Ton nur dabei, seine Form zu finden."

Per Rillenwalze entsteht ein Streifenmuster auf frischem Ton.

Der Ton wird in Blöcke geschnitten, während ein Stock im Innern steckt.

Die Verdrehung entsteht, indem der Stock der Scheibendrehung entgegenwirkt.

Shozo Michikawa

道川 省三

Shozo Michikawa

Toru Hatta

Umspielt von Feuer,
   dicht an dicht im Mauerwerk,
      aufwirbelnde Asche

Toru Hatta

Zahlreiche getöpferte Objekte stehen auf einem langen Tisch unter einem Wellblechdach in Sakai, südlich von Osaka. Die Teller, Schalen, Kannen und Vasen sind mit einer Glasurschicht überzogen und warten auf das Brennen. Neben dem Tisch ruht ein von verrußtem Mauerwerk getragenes Gebilde mit rundlich-glatter Oberseite und verschlossenen Löchern in der rissigen Oberfläche. Es ist der *makigama* (Holzbrandofen) von Toru Hatta.

Die ganze Familie im neu gebauten Haus in Tondabayashi.

Der Studiokeramiker dreht seine Stücke auf der Töpferscheibe schnell und konzentriert. Im Stil der ursprünglich aus Korea stammenden Einlegetechnik *mishima* ritzt er bei manchen Objekten charakteristische Muster ein, die mit hellem Schlicker ausgefüllt werden. Reduzierter gestaltete Arbeiten erhalten ihre individuelle Erscheinung beim Holzbrand, und für weitere Objekte kombiniert er die unterschiedlichen Stile und Techniken.

In Form des provozierten Zufalls nimmt die Natur eine wichtige gestalterische Rolle in Toru Hattas Arbeit ein. So sticht er manchmal selbst seinen Ton und experimentiert damit. Die aufwendigste Art den Zufall einzubeziehen ist aber sicher der Holzbrand in dem von ihm gebauten *makigama*. Er brennt zehn- bis elfmal im Jahr, was viel Zeit und Material benötigt. Andere Keramiker schließen sich daher oft zusammen, um einen Brennofen gemeinsam zu nutzen und sich die Kosten für

das Holz zu teilen. Es ist auch eine schöne Gelegenheit, sich zu treffen und gute Gespräche zu führen, während man das Feuer aufmerksam im Blick behält.

Zunächst stapelt Toru Hatta etwa 200 Arbeiten dicht an dicht in dem nach hinten ansteigenden Ofen. Ausschlaggebend für das Glasurergebnis ist, ob ein Stück oben oder unten positioniert ist, ob vorn oder hinten. Denn das komplexe Zusammenspiel von Feuer, Brennholz, Asche und Mineralien im Ton hat man nie ganz unter Kontrolle.

Bevor ein kleines Feuer an der Beschickungsöffnung entfacht wird, wird ein kurzes Gebet gesprochen. Rasch legt Toru Hatta Holz nach, während aus den Rissen im Brennofen dichter Rauch entweicht. Später entfernt er die kugelartigen Stopfen aus den Schaulöchern der Ofenoberseite, woraufhin das Feuer wie aus einem Schweißbrenner heraus sticht. Der Ofen strahlt inzwischen eine große Hitze aus, die zu beobachten und weiter zu steigern ist.

Am nächsten Morgen sind die Schaulöcher regelrechte Flammenwerfer. Es ist eine mystische Szenerie mit einem drachengleichen Feuer speienden Ofen. Den ganzen Tag über wird alle paar Minuten Holz nachgeworfen. Am zweiten Abend angelt der Kunsthandwerker ein glühendes Teststück aus einer kleinen Öffnung, woraufhin weiter von vorn und seitlich Holz nachgeworfen wird. Im Inneren wirbelt Asche auf, legt sich auf die Glasur und beeinflusst sie mit.

In der Nacht zeigt das Thermometer endlich, nach 36 Stunden stetigen Aufheizens, die benötigten 1.280 °C. Jetzt gilt es, die Temperatur noch einige Stunden zu halten. Am Morgen wird die Öffnung des Ofens zugemauert und alle Löcher abgedichtet. Erst nach weiteren 36 Stunden des Abkühlens wird klar, ob der Brand gelungen ist – dann, wenn Schönheit der Asche und dem Feuer entsteigt.

八
田
亨

Toru Hatta fertigt bisweilen auch Objekte in Anlehnung an rituelle Haniwa-Figuren aus der Kofun-Zeit (ca. 300–700 n. Chr.).

I   Über den Dächern von Tondabayashi.
II   Toru Hatta stapelt vor dem Brennen die letzten Stücke in seinen *makigama*.
III   Der Keramiker produziert eine Reihe von Schalen für seine *mishima*-Serie.
IV   Die verrußte Seite des *makigama*.

V   Flammen schießen aus dem Brennofen, während im Inneren das Feuer wütet.
VI   Toru Hatta in seiner großen Werkstatt neben dem Brennofen.
VII   Der Keramiker und ein Helfer schüren das Feuer in der zweiten Nacht.

VIII   Ein shintoistischer Priester vollführt die Zeremonie vor dem ersten Brennen mit dem neuen Gasbrennofen.
IX   Toru Hatta entfacht mit einer Lanze das Feuer für den ersten Brand.
X   An der Vase ist zu sehen, wie der Feuersturm im Ofen die Glasur verändert hat.

XI   Stücke aus Toru Hattas *shirokake*- und *mishima*-Serien, sowie Schalen mit schwarzer Glasur.
XII   Seine *mishima*-Keramik ist meist grau mit hellem Muster.
XIII   Sake-Becher und Teller aus dem Holzbrand, unglasierte Stellen (*me-ato*) kommen vom Stapeln im Brennofen.

Drehen einer Schale mit dem „Kuhzungen-Werkzeug" (gyūbera) aus Kiefernholz.

Sein individuelles mishima-Muster wird auf einer Drehscheibe eingeritzt.

Mishima-Muster aus gegenläufigen diagonalen Linien zwischen Doppellinienkreisen.

八田亨 **Toru Hatta** ist erfolgreicher Studiokeramiker für mishima und andere Keramiken, vor allem für den täglichen Gebrauch. Er lebt und arbeitet in Tondabayashi, Präfektur Osaka. Zufälligkeiten der Natur zuzulassen ist ein wichtiger Teil seiner Gestaltungshaltung. Seine modern designten Keramikserien basieren teilweise auf klassischen Vorbildern.

Er studierte Architektur an der Osaka Sangyo University und belegte zur gleichen Zeit Töpferkurse. Danach fand er eine Anstellung im Maishima Pottery Museum in Osaka. Hier sammelte er weitere Erfahrungen bei der Verarbeitung bestimmter Tonarten und Glasuren und bei der Durchführung der Holzfeuerung in anagama-Brennöfen.

Toru Hatta betreibt ein Studio in Sakai, südlich von Osaka, wo er Kurse für Hobbykeramiker gibt und seine Stücke im eigenen makigama brennt. Um näher bei seiner Frau und den vier gemeinsamen Töchtern zu arbeiten, richtete er sich in ihrem neuen Wohnhaus einen Atelieranbau mit viel Tageslicht, Töpferscheibe und großem Gasbrennofen ein.

„Es gibt einen Handwerker, den ich sehr bewundere. Er schnitzt Tabletts aus einem einzigen Stück Holz. Vor einigen Jahren hatte er einen Schlaganfall und konnte eine Hälfte seines Körpers nicht bewegen. Vor Kurzem sagte er tatsächlich, dass es ein guter Zeitpunkt für ihn war, weil er in gewisser Weise das Gefühl hatte, zu gut bei der Arbeit geworden zu sein. Er hat das Gefühl, jetzt, da er beim Schnitzen nur eine Hand benutzen kann, interessantere Arbeiten als zuvor zu machen. Im Gespräch mit ihm erkannte ich, dass zu viel Perfektion dazu führen kann, dass auf dem Weg zum Ergebnis etwas verloren geht. Wenn man also zum Beispiel Ton verwendet, der schwierig zu formen ist, kann das Resultat interessanter sein."

Gebrauchskeramik wird in Japan in vielen Regionen und Stilen in fast unveränderten kunsthandwerklichen Verfahren hergestellt. Es gibt unzählige Studiokeramiker, aber auch größere Handwerksbetriebe in Familienbesitz mit mehreren Angestellten. Die Arbeit als Keramiker ist in Japan oft nur auskömmlich, wenn man sich erfolgreich einen eigenen Stil erarbeitet. Die Langlebigkeit handwerklicher Produkte, das riesige historische Kunsthandwerkserbe und industriell produzierte Waren aus ganz Asien machen es jungen Keramikern nicht leicht, sich zu etablieren.

„Ich nehme die Arbeit an meinen Projekten als integralen Bestandteil meines Lebens wahr. Im Idealfall kann ich mich morgens sofort nach dem Aufstehen und Zähneputzen an die Töpferscheibe setzen. Und ich habe vier kleine Kinder. Ich möchte so viel Zeit wie möglich mit meiner Familie verbringen."

Ein glühendes Teststück aus dem Ofen lässt den Zustand der Glasur erkennen.

Die Temperatur wird an zwei Stellen im Ofen überwacht.

Feuer tritt aus dem Schornstein aus – vom Ofen aus über einen Spiegel sichtbar.

Toru Hatta

八田　亨

Toru Hatta

八田　亨

Toru Hatta

Kasamori | 000

Reizend gestaltet,
aus edlem Garn geschaffen,
feine Preziosen

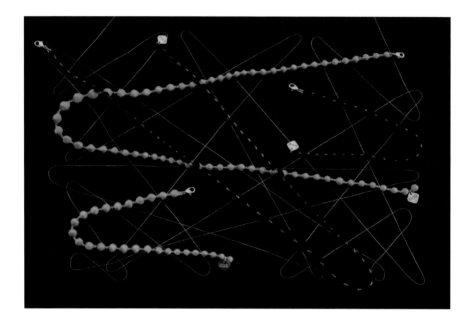

Die Belegschaft steht sich am frühen Montagmorgen im engen Gang des Büros gegenüber, während jeder seine Aufgaben für die Woche entgegennimmt. Am Wochenende lief auf den Maschinen ein dringender Auftrag – die Veredelung von Haute-Couture-Entwürfen eines avantgardistischen Fashion-Labels, die wenige Tage später in dessen Herbst-Winter-Kollektion auf der Pariser Fashion Week gezeigt wurden.

Traditionelles Eingangstor zum Werkstatt-gebäude von Kasamori.

Das Vertrauen des Modelabels zeugt von den technischen Fähigkeiten und der Innovationsfreude von Kasamori, einem Stickereispezialisten in Kiryū, Präfektur Gunma. Bereits 1877 ging aus ehemaligen Händlern von Seidengarnen ein Familienbetrieb für das Weben der seidenen *obi* (Kimonogürtel) hervor. Ab den 1960er-Jahren wandelten sie sich abermals zu reinen Spezialisten für Auftragsstickereien.

Die Entwicklung der Stickereikunst wurde stark durch das Aufkommen von Jacquard-Webstühlen beeinflusst. Ihr Erfinder Joseph-Marie Jacquard sorgte mit der Verwendung von Lochkarten für eine technische Revolution, denn so konnten auf den gleichen Webstühlen endlose Muster beliebiger Komplexität gewoben werden, was später auch die Automatisierung der Stickereitechnik ermöglichte.

Die Kunstfertigkeit von Kasamori besticht vor allem auch durch die virtuose Nutzung der computergesteuerten Technik und all ihrer Möglichkeiten in Form der Stickprogrammierung von Fujiko Okada und ihren Kollegen. Den Programmcode setzen etwa ein Dutzend Hightech-Mehrkopfstickmaschinen eines japanischen Herstellers um, mit teilweise mehr als zehn Stickköpfen, bis zu zwölf gleichzeitig nutzbaren Garnen oder Garnfarben und bei Bedarf sogar mit Pailletten und anderen Besonderheiten.

Mit Verfahren wie *sagara*-, Kordel-, Jakobsmuschel-, Bordüren- und Nähstickerei oder Techniken wie Kettenstich, Hohlsäumen, Durchbrucharbeiten und Plissieren bemühen sie sich, die Designs der Kunden möglichst exakt umzusetzen. Sie setzen auf eine Kombination von hochspezialisierten Dienstleistungen, verbunden mit großem Ideenreichtum. Dank der Freude am Finden guter Lösungen und dem Verständnis von Technik und Systemen konnte sich die Firma schon mehrfach neu erfinden. Dabei fühlt der Inhaber Yasutoshi Kasahara stets auch eine große Verantwortung gegenüber seinen etwa 30 Mitarbeitern und ihren Familien.

In Yoichi Katakura fand Kasamori den idealen gestalterischen Partner. Schon früh hat er die mütterlichen Strickarbeiten und die Origamikunst seines Großvaters beobachtet und sich begeistert von den Fähigkeiten der menschlichen Hände gezeigt. Seine Wissbegierde führte ihn später ins europäische Ausland und mit einem Abschluss in Textildesign wieder zurück nach Japan. Stets rastlos zwischen Maschinen, Computer und Zeichenbrett wechselnd, kombiniert er mathematisch-technische Fähigkeiten mit kreativem Gestaltungswillen.

Die Experimentierfreude kumulierte in der Erfindung einer eigenen patentierten Technik, der Kasamori-Spitze. Hieraus entstanden dreidimensionale, sowohl innen als auch außen nur aus Garn bestehende Stickereien. Besonders wirkungsvoll gelingt dies in Form von Kugeln, mit gestickten Verbindungen untereinander. Sie bilden die Basis für die erste gestickte Schmucklinie – wunderbar leichte, einfach zu pflegende und farbenfrohe Stücke.

Heute werden mehrere Linien in vielfältigen Formen und Farbkombinationen, sowie in exklusiven Materialien wie Seide oder metallischen Garnen angeboten. Kasamori vertreibt den originären Schmuck unter der eigens entwickelten Marke 000 (Triple O). Der Name steht für den Start von etwas völlig Neuem, quasi von Null an.

笠盛
|
OOO

Herstellung von Garn aus Seide-Leinen-Gemisch in der TOSCO-Fabrik, Hiroshima.

Skizzieren des Entwurfs einer neuen Halskette.

Detailansicht eines durch die Sticknadel-spitze laufenden Fadens.

笠原康利 Yasutoshi Kasahara leitet den seit 1877 bestehenden Familienbe-trieb Kasamori in Kiryū, Präfektur Gunma. Früher Experten im Weben hochwertiger Kimonogürtel (*obi*), sind sie heute ausgezeichnete Stickereispezialisten. Yasutoshi Kasahara wuchs in dem Bewusst-sein auf, den Betrieb eines Tages in vierter Generation fortzuführen.

片倉洋一 Yoichi Katakura ging nach dem Abschluss in Ingenieurwissen-schaften nach London, wo er 2003 mit einem BA in Textildesign am Chelsea College of Arts abschloss. In der Folge arbeitete er für zwei Haute-Couture-Designer in Paris und für einen Stoffproduzenten in der Schweiz. Zurück in Japan fand er 2005 in Kasamori eine Wir-kungsstätte, die Kreativität und Handwerk an einem Ort vereinigt.

Mit der fortan von Yoichi Katakura aufgebauten Designabteilung ent-wickelte Kasamori eine eigene Technik für das Sticken dreidimen-sionaler Objekte. Daraus entstand eine neuartige Schmucklinie aus Garn, für die sie 2010 die Marke 000 (Triple O) gründeten.

„Ich wollte in einer kleinen Firma mit angeschlossener Werkstatt arbeiten an-statt in einem berühmten Designstudio in Tokyo. Ich glaube, dass Design nicht vom Handwerk getrennt werden kann. Ein weiterer Grund, warum ich nach Kiryū gekommen bin, ist der berühmte Webmeister Junichi Arai. Ich bewun-dere seine Arbeit, auch wegen des Mischens von moderner Technik mit tra-ditionellem Handwerk. [...] 000 bedeutet, zum Anfang zurückzukehren. Wir ver-suchen, etwas anderes zu machen als in den letzten 140 Jahren als Stickerei-und *obi*-Hersteller. Ich wollte eine Art Perlenkette nur aus Seidengarn ferti-gen. Nach tausenden Tests mit der Ingenieurin Miss Okada ist es uns endlich gelungen, gestickte Kugeln herzustellen." Yoichi Katakura

Durch die Abschottung Japans gegenüber äußeren Einflüssen und Waren ab den 1630er-Jahren produ-zierte man über 200 Jahre nur für die eigene Bevölkerung. So konnten sich Kleidungsstile und Kunstfertig-keiten unabhängig weiterentwickeln und blieben noch lange nach der Öffnung des Landes bestehen. Westliche Kleidung und industriell wachsende Nachbarn in Asien ver-änderten den Markt nachhaltig, so-dass sich japanische Textilhersteller langfristig umorientieren mussten.

„Nach dem Zweiten Welt-krieg florierte die Wirt-schaft. Laut meinem Vater lief der Verkauf von *obi* gut, und er und seine Brü-der verkauften 30 Prozent aller *obi* in Kiryū. Nach und nach wechselten die Menschen zur westlichen Mode, und wir wechselten zum Stickereigeschäft, da der Bedarf für Kimonos in den 1960er-Jahren stark zurückging." Yasutoshi Kasahara

Sticken der Ketten auf ein Trägervlies mit-hilfe der computergesteuerten Maschinen.

Die Pflege der Schmuckstücke erfolgt am besten durch das Waschen per Hand.

Applizieren der mit dem 000-Logo ver-sehenen Kettenschließen.

Kasamori | 000

笠盛 ― 〇〇〇

X   XI
XII   XIII

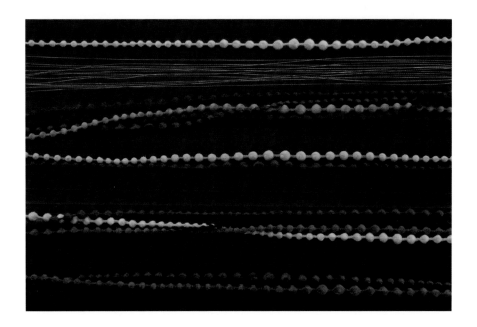

tamaki niime

Flauschig weich entsteht,
    Kette, Schuss, Kette, Schuss und von vorn,
      der ganze Regenbogen

tamaki niime

D ie Gebäude sind von weißen Elementen dominiert. Weiß lackiert sind auch viele Maschinen in der Werkhalle. Mit ihren Geräuschen verbreiten sie die Musik der Industrialisierung und bieten einen spannenden Blick zurück in die technische Evolution der Weberei. Dominiert von analoger Mechanik, Lochkarten und vielen Garnen sind sie auch der konzeptionelle Kern des Labels der Textilkünstlerin Tamaki Niime, deren Marke „tamaki niime" ihren eigenen Namen trägt.

Aus dunklem Stahl gebaut, mit Treibriemenantrieb und ideal zur Nutzung langsamer Geschwindigkeiten und geringer Fadendichten, sind ihre beiden ersten Webstühle von 1965 noch immer in Benutzung. An ihnen entwickelte sie ihre Vision von *Banshū ori*, den garngefärbten Stoffen aus Nishiwaki, Präfektur Hyōgo. Luftig-flauschig gewebt, in allen Nuancen des Farbspektrums gehalten und mit unerwarteten Farbwechseln, gleicht kein Stoff dem anderen. Mit wunderbar weichem Griff wurden die einzigartigen Schals zu einem großen Erfolg. Inzwischen gestaltet, fertigt und verkauft die Marke ein breites Repertoire an Hemden, Hosen, Kinderbekleidung, Taschen und Denims, während Tamaki Niime fortwährend kreiert. Am liebsten direkt an der Maschine.

Durch die Nutzung alter Webtechnik dreht sie die kulturtechnische Entwicklung praktisch um. So haben nicht mehr benötigte Maschinen ihren zweiten Frühling

und schaffen Arbeitsplätze, wo sie vor langer Zeit verschwanden. Anstatt große Mengen zu produzieren, setzt sie auf Qualität, geschaffen mit lokaler Inspiration und ohne Eile – ein Experiment in kontinuierlicher Weiterentwicklung.

Die Webstühle in der Werkhalle sind für Tamaki Niime wie eine weiße Leinwand vor dem ersten Pinselstrich. Nicht jünger als Baujahr 1983

Tamaki Niime auf der Veranda ihres Werkstattgebäudes.

werden alle noch von Lochkarten mit den codierten Webmustern gesteuert. Zudem gibt es Vorrichtungen für das Spinnen und Färben von Garnen und moderne Flach- und Rundstrickmaschinen. Ringsum gerahmt werden sie von unzähligen bunten Garnspulen an den Hallenwänden, wie ein fein abgestuftes Farbspektrum. Ebendiese farbige Fröhlichkeit und die Teammitglieder, meist im eigenen Label gekleidet, machen diesen Ort so sympathisch. Sie sind eine große Familie.

Vor einigen Jahren begann die Firma mit der ökologischen Kultivierung von Baumwolle, die zu eigenen

Garnen gesponnen, gefärbt und zu bestimmten Stoffen gewebt werden kann. So wollen sie die lokale Produktion stärken und Bauern wieder zum Anbau der alten Kulturpflanze animieren, um zukünftig auch volle Transparenz bei den verwendeten Materialien zu erreichen.

Das ganzheitliche Konzept zeigt auf sympathische Weise, wie man eine Marke im respektvollen Umgang mit der Natur, ihren Ressourcen, den Menschen und ihrer Region zum Erfolg führen kann. Tamaki Niime schafft das durch zeitgemäße, aber auch behutsame Neuausrichtung traditioneller Methoden, mit viel Mut und Freude am Experimentieren und mit dem Festhalten an ihren eigenen Idealen.

Diese Haltung sollen die Gäste und Kunden spüren, wenn sie nach Nishiwaki kommen, um die Kollektion im Verkaufsraum zu entdecken. Von dort haben sie durch große Glasscheiben einen hervorragenden Blick in die Werkhalle und bekommen einen Eindruck von den Geräuschen, der konzentrierten Atmosphäre und der lebendigen Farbigkeit.

Die geschmackvolle Abrundung von Tamaki Niimes Konzept finden sie im Raum über dem Verkaufsraum, schlicht „tabe room" (Essensraum) genannt. Von Zeit zu Zeit können dort Gäste mit dem Team mittags eine ausgezeichnete vegane Küche genießen, natürlich werden der Reis und das Gemüse dafür auf den Feldern in der Umgebung ökologisch kontrolliert angebaut.

t
a
m
a
k
i
n
i
i
m
e

I   Das Produktionsgebäude von tamaki niime ist eingerahmt von Feldern, Wäldern und einem kleinen Fluss.
II   Alle gewebten Arbeiten zeichnen sich durch abwechslungsreiche Farben und Muster aus.
III   Tamaki Niime inmitten ihrer alten Webstühle.

IV–XI   Alte Technik verbindet sich mit neuen Ideen zu bunten Unikaten.
XII   Der Baum vom Grundstück ihrer Eltern steht im Zentrum der Werkhalle.
XIII   Einer der weiß lackierten Webstühle, um die die Produktion aufgebaut ist.

XIV   Nach dem Weben gewaschene Schals hängen an Stangen zum Trocknen in der Sonne.
XV   Unzählige bunte Garnspulen werden in Regalen ringsum gelagert.
XVI   Gesammelte Ginkgoblätter werden für Färbetests getrocknet.

XVII   Durch die sehr lockere Webart sind die Schals weich und flauschig.
XVIII*   Tamaki Niime ist Teil der von ihr kreierten fröhlich bunten Welt.
XIX   Die Designerin trägt einen ihrer gestrickten Pullover und Schals.

* Foto: tamaki niime

Baumwollfasern nach der Ernte, bevor sie zu Garn gesponnen und gefärbt werden.

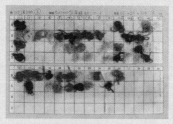

An jedem Webstuhl liegen kleine Farbmusterkarten der aktuellen Chargen.

Ein gerissener Schussfaden wird wieder eingefädelt.

玉木新雌 **Tamaki Niime** ist kreativer Kopf und Namensgeberin ihrer eigenen internationalen Bekleidungsmarke. In Nishiwaki, Präfektur Hyōgo, kreiert sie ihre Kollektion als moderne Interpretationen des *Banshū ori*, den aus bereits gefärbtem Garn gewebten Stoffen. Teil des Konzepts ist ihr selbst gewählter Vorname Niime, der „neue Frau" bedeutet.

Tamaki Niime träumte schon lange davon, Mode zu gestalten, die sie selbst gerne tragen würde. Die Begegnung mit einem *Banshū ori*-Meister während ihres Modedesignstudiums überzeugte sie von den Möglichkeiten dieses traditionellen Kunsthandwerks. So begann sie 2004 ihre eigenen Stücke unter dem Namen „tamaki niime" in Osaka zu verkaufen. Einige Jahre später erfolgte der Umzug nach Nishiwaki, wo sie erste Experimente mit alten Webstühlen startete. 2016 bezog sie dann das Gebäudeensemble einer alten Färberei. Inmitten von Bergen, Wasser und Natur gelegen, hat es die richtige Größe für ihre Ideen und das etwa 20-köpfige Team.

Die alte Provinz Banshū im südlichen Teil der heutigen Präfektur

„Als ich anfing, wusste ich nicht, was kommen würde. Aber ich glaubte an mich selbst, dass ich etwas Neues schaffen könnte, etwas, das die Leute noch nicht gesehen hatten. Jetzt fühle ich mich kurz davor, dieses Ziel zu erreichen. Ich suchte auch nach einem Ort, an dem ich mich geerdet, zu Hause, fühlen könnte. Dass ich diesen Ort hier gefunden habe, ist wirklich wichtig für mich. So bin ich selbstbewusster geworden. Als nächstes versuche ich, mein Potenzial zu entwickeln. Ich will viele Dinge tun. Aber im Grunde möchte ich Weichheit erschaffen, federleichte Dinge, Arbeiten mit neuen Ideen. In zehn Jahren möchte ich zurückblicken und sehen, dass ich über meine Möglichkeiten hinausgewachsen bin."

Hyōgo gab dem Kunsthandwerk vor etwa 220 Jahren seinen Namen. Beeinflusst durch die über 1.200 Jahre alte dekorative Nishijin-Webart aus Kyoto, verwendet *Banshū ori* zuvor gefärbtes Garn, das dem Textil eine langanhaltende Farbigkeit und Weichheit verleiht, da es nach dem Weben nicht mehr behandelt werden muss. Die Kombination von Farben und Mustern ermöglicht eine unendliche Vielfalt gewebter Stoffe.

„Meine Eltern hatten eine Boutique. Als Kind ging ich oft mit zum Großhändler. Dort sah ich große Mengen identischer Produkte und war schockiert – ich wollte meine eigene, individuelle Kleidung haben. […] Unsere Arbeiten entstehen durch Experimente. Das macht jedes Stück einzigartig. Manchmal lasse ich mich von etwas inspirieren, an dem ich gestern gearbeitet habe und setze diese Inspiration dann heute um."

Alle Produkte werden nach dem Weben gewaschen.

Vor dem Annähen der Labels werden die Stoffe auf Webfehler kontrolliert.

Vom Shop hat man einen hervorragenden Blick in die Werkhalle.

tamaki niime

tamaki niime

tamaki niime

tamaki niime

tamaki niime

Isshū und Shukin Muroya

**Gefühle sind da,
man muss sie nur zulassen
und sich bewahren**

Isshū und Shukin Muroya

Zwei Glühbirnen erleuchten nur spärlich den mit dunklem Holz getäfelten Raum. Die Glut in der Feuerstelle erwärmt den Raum und die Herzen der Menschen, während sie zusammen Sake trinken und aus dem Leben erzählen. Katzen streichen um die Beine oder springen auf den Schoß. Als Gast der Kalligrafen Isshū und Shukin Muroya genießt man ihre herzliche Gastfreundschaft und die entspannende Atmosphäre in ihrem traditionellen Fachwerkhaus.

Klassische japanische Kalligrafie, wie sie oft auch in den japanischen Raumnischen (*tokonoma*) zu finden ist, diskutiert man gerne während einer Teezeremonie. Die Arbeiten wirken meist sehr ausdrucksstark, wie in einem genialen Moment auf das Papier gebannt. Dabei basiert das Geschriebene oft auf der traditionellen Kalligrafieschule, bei der Arbeiten durch das Nachempfinden meisterlicher Werke entstehen, vergleichbar dem Spielen klassischer Musik. Gegenüber diesem rigiden Prinzip fühlten die beiden Kalligrafen schon während ihrer Zeit an der Universität eine gewisse Dissonanz.

„Kalligrafie ist ein Bild deines Herzens, und Worte sind Stimmen deines Herzens." Isshū Muroya fand dieses Zitat in einem alten Buch über chinesische Geschichte. Es war der Schlüssel für ihre gemeinsame Haltung und formte ihren Entschluss, als freie Kalligrafen zu leben und mit der Jojō-Kalligrafie eine eigene Bewegung zu gründen.

Sie folgen ihrer Überzeugung, respektieren aber auch die Lehrmeinung. Jojō passt besser zu ihren

Im Winter kann der Schnee bis zum zweiten Stock des alten Bauernhauses reichen.

Persönlichkeiten, erlaubt es ihnen doch, Emotionen und sinnliche Empfindungen in den Ausdruck ihrer Worte zu legen – Worte, die ihnen im Alltag begegnen, über die sie lange nachsinnen. Es ist die Basis ihrer Arbeit und mehr als eine Haltung: Es ist ihr Leben.

Auch wenn sie ihrer gegenseitigen Inspiration und dem gleichen Antrieb folgen, unterscheiden sie sich in ihrer individuellen Arbeitsweise. Während Isshū Muroya viel nachdenkt, sich Notizen mit Wortlauten anfertigt, um sie dann in einem konzentrierten Moment mit dem Pinsel aufs Papier zu werfen, nimmt Shukin Muroya sich die Zeit, sich selbst zu ergründen. Ihre häufig farbigen und manchmal bildhaften Arbeiten können sich noch während der Entstehung analog ihrer Empfindungen entwickeln. Durch die Öffnung der Ausdrucksweise und eine universellere Verständlichkeit lädt die Jojō-Kalligrafie auf ihre Art zum Austausch mit dem Betrachter ein.

Ihre hochwertigen, von Kunsthandwerkern gefertigten Arbeitsmaterialien werden in einer chinesischen Redensart auch „die vier Freunde" genannt: Pinsel, Papier, Tuschestein und Tusche sollten zu deinen Freunden werden, mit dir leben, die gleiche Atmosphäre atmen, sich entspannen. Dann können sie in einen Dialog treten, dir bei der Arbeit beistehen und das Ergebnis positiv beeinflussen. Der Tuschestein harmoniert mit der Tusche, der Pinsel nimmt sie auf und gibt sie an das Papier ab, welches sie als expressive Arbeit bewahrt.

Oft sind es die feinen Unterschiede, die eine Arbeit überzeugend machen: ein besonderes Schriftzeichen, ein tieferes Schwarz oder die Stelle am Ende eines Pinselschwungs, wenn die letzten Pinselhaare das Papier verlassen.

„Uns war von Anfang an wichtig, dass das Wasser, mit dem wir unsere Tusche herstellen, natürliches Quellwasser ist. Das Leitungswasser in den Städten wurde dem nicht wirklich gerecht. Ich dachte darüber nach und wurde dann von einer Kalligrafin inspiriert, Tōkō Shinoda, die jetzt über 100 Jahre alt ist. Sie hat ein Studio am Fuß des Fuji und stellt ihre Tusche mit dem Wasser her, das sie von der Schneeschmelze sammelt. Es hat mich sehr inspiriert, dass bereits Leute vor mir diese Idee hatten." Isshū Muroya

室谷 一柊 • 朱琴

I   Das alte Haus bietet Platz und Inspiration, aber nur wenig modernen Komfort.
II   Im Sommer ermöglichen die geöffneten Schiebetüren einen wunderbaren Blick ins Tal.
III   Die Kalligrafen arbeiten auf großen Filzflächen auf dem Boden.
IV   Shukin Muroya fasst ihre Gedanken in Worte.

V   Isshū und Shukin Muroya mit einer ihrer Katzen.
VI   Die Feuerstelle ist abends ein geselliger Ort.
VII   Die Arbeiten werden gemeinsam besprochen.
VIII   Arbeitsmaterialien von Shukin Muroya.
IX   „Ich möchte mich selbst mögen. Ich möchte jemand werden, den ich mag." Isshū Muroya

X   „Leidenschaft, Tapferkeit." Isshū Muroya
XI   „Deine Worte sind noch immer in meinem Herzen, die Farbe deiner Worte verblasst nicht." Shukin Muroya
XII   „Die größte Freude im Leben ist es, etwas zu erreichen, von dem die Menschen sagen, dass man es nicht kann." Isshū Muroya

XIII   „Pfirsich- und Pflaumenbäume, sie sagen nichts. Aber der sanfte Wind wird ihren schönen Duft mit sich tragen und verbreiten." Isshū und Shukin Muroya. Aus einem chinesischen Gedicht, in etwa: Deshalb kommen die Menschen hier zusammen, und schnell entsteht ein natürlicher Weg zueinander.

Isshū Muroya wählt Papier für eine kalligrafische Übung aus.

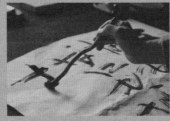

Anstatt Pinsel benutzt er auch gerne ausgefaserte Zweige des Blauregens.

Der Kalligraf reflektiert seine geschriebenen Worte.

室谷一柊 **Isshū Muroya** studierte klassische japanische Kalligrafie, suchte aber stets nach einem individuelleren Ausdruck für sein Schaffen. Gemeinsam mit seiner Frau entwickelte er die Jojō-Kalligrafie, eine unabhängige Schule der Schreibkunst. Beide leben auf der Halbinsel Noto in der Präfektur Ishikawa.

室谷朱琴 **Shukin Muroya** lernte die Kunst des Schreibens von klein auf bei anerkannten, traditionellen Kalligrafen. Später wollte auch sie lieber die Dinge ausdrücken, die ihr wirklich aus dem Herzen sprechen.

Beide begegneten sich in den späten 1960er-Jahren an der Kōnan-Universität in Kōbe und gehen seitdem gemeinsam durchs Leben. Auf der Suche nach reinem Wasser für die Kalligrafie zogen sie zunächst nach Miyama, Präfektur Kyoto. Seit 2006 sind sie mit ihrem zweiten Studio auf Noto zu Hause.

Bei der traditionellen japanischen Kalligrafie erlernt man das Schreiben mit Pinseln, Tusche und Papier durch fortwährende Wiederholungen der Ausdrucksweise des Meisters. Auch die Materialien und Strichfolgen der Schriftzeichen sind festgelegt. Die Gründer der Jojō-Kalligrafie (抒情) bieten mit ihrem eigenen Stil einen alternativen Weg des Schreibens. Die beiden Schriftzeichen lassen sich lesen als „So wie man Wasser aus dem Brunnen schöpft, schöpft man aus seinem eigenen Inneren." Es ist eine Aufforderung, seine Gefühle und Emotionen frei auszudrücken – nicht immer eine Selbstverständlichkeit in der japanischen Gesellschaft.

„Ich lasse mich am meisten inspirieren, wenn meine fünf Sinne ganz klar sind und mir sehr bewusst ist, was um mich herum passiert. Dann fließen die Worte nur so aus mir heraus, und ich habe den starken Drang, diese auszudrücken. Um in dieser Umgebung leben zu können, muss man vieles tun, um mit der Natur Schritt zu halten, und am Ende führt alles dazu, eine Arbeit zu realisieren." Shukin Muroya

„Ich empfinde tiefen Respekt gegenüber allen Kalligrafen der traditionellen Kalligrafie-Schulen. Aber es ist nicht die Art und Weise, wie ich lebe und meine Arbeit fortsetzen will. Als Student las ich in der Bibliothek in einem alten Buch über chinesische Geschichte, und ich fand diese Worte: ‚Kalligrafie ist ein Bild deines Herzens, und Worte sind die Stimmen deines Herzens.' Als ich das las, wusste ich: Bild meines Herzens und Stimmen meines Herzens – das möchte ich bewahren und ausdrücken. Da wir uns in der Welt der Kalligrafie bewegen, kann man die traditionelle Seite nicht ignorieren, und das sollte man auch nicht. Aber parallel dazu sollten auch kreative, neue Stile existieren." Isshū Muroya

Das Arbeiten auf dem Boden ist seit jeher Teil der japanischen Identität.

Alle benötigten Utensilien haben ihren präferierten Platz.

Die Kalligrafen breiten ihre Arbeiten auf dem Boden aus, um sie zu diskutieren.

Isshū und Shukin Muroya

室谷 一柊・朱琴

室谷　一柊　・　朱琴

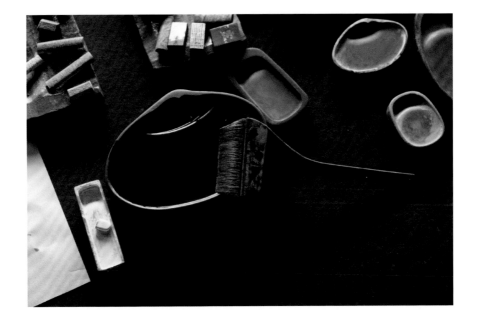

室谷 一柊・朱琴

Ayane Muroya

**Der Kalligrafin
Freunde ergänzen ihre
tanzenden Hände**

Ayane Muroya

Die Vegetation wächst üppig, und den Blick auf das Wasser rahmen schlanke Palmen. Bei klarer Sicht kann man vom idyllisch über einer Bucht liegenden ehemaligen *minshuku*, einem familiengeführten Gästehaus, die schneebedeckte Hida-Bergkette sehen, die japanischen Nordalpen. Das wunderschöne Panorama liegt vor Ayane Muroya, wenn sie die Schiebetüren ihres Ateliers öffnet und das Rauschen der Wellen mit der frischen Seeluft hereinlässt.

Als Tochter von Isshū und Shukin Muroya (siehe Seiten 256–265) wuchs sie mit der Kunst der Kalligrafie auf und nutzte Pinsel und Tusche noch vor ihren Essstäbchen, auf spielerischer Suche nach einer Ausdrucksform. Ihre Eltern ermutigten Ayane, frei zu schreiben und auch frei zu denken, unabhängig von Regeln und Traditionen. Konfrontiert mit dem starren japanischen Schulsystem fühlte sie sich jedoch bald eingeschränkt und gebremst. So tat sie es dem Helden eines Kinderbuchs, das sie seinerzeit las, gleich und ging mit 13 Jahren nach England, um die Außenwelt kennenzulernen, die Sprache zu lernen und dort zur Schule zu gehen.

Sie blieb insgesamt elf Jahre und kam mit einem Abschluss in Kunst zurück nach Japan. Erst bei ihrer Abschlussarbeit in London bediente sie sich wieder bewusst der Mittel der Kalligrafie. Kurz danach, mit 23 Jahren, wurde ihr klar, dass sie den Weg ihrer Eltern einschlug. Es war das Jahr ihrer ersten Solo-Ausstellung. Im Herzen war sie schon immer Kalligrafin gewesen.

Im Haus ihrer Eltern betrachtet Ayane Muroya eine Kalligrafie ihres Vaters.

„Ich denke, ich arbeite eher abstrakt. Ich schreibe heute nicht mehr viel, außer bei Auftragsarbeiten. Ich schätze, ich kombiniere das, was ich im Studium gelernt habe, mit einer Art traditionellen Kalligrafie-technik. Oft nutze ich für das, was ich ausdrücken möchte, nur Linien oder Kreise. Meine Eltern sind beide sehr traditionell, und doch sind sie, verglichen mit traditionellen japanischen Kalligrafie-Schulen, anders, alternativer. Sie drücken aus, was sie fühlen. Ich bin immer frei mit Worten umgegangen und kann tun, was ich möchte. Ich brauche nicht einmal Pinsel zu benutzen – ich könnte Zweige zum Schreiben und Malen nehmen, wenn ich wollte. Das macht mich irgendwie frei."

Heute arbeitet Ayane Muroya ähnlich wie ihre Mutter – so können sich Arbeiten noch während des Prozesses verändern – manchmal aber auch wie ihr Vater, der seine Worte erst dann in einem expressiven Moment verewigt, wenn die Vorstellung gereift ist. Meist nimmt sie sich die Zeit für ein bis zwei Skizzen, um danach die finale Arbeit mit Kreativität und viel Ausdruck aufs Papier zu bringen, seien es nun geschriebene Worte, bildhafte oder eher abstrakte Motive. Wie ihre Eltern steht sie für die unabhängige Denkweise der Jōjō-Kalligrafie. In ihren eigenen Worten ist sie Kalligrafin der zweiten Generation, frei im Denken und frei im Handeln.

Als solche übernimmt sie auch regelmäßig Auftragsarbeiten wie beispielsweise für das Gourmet-restaurant Jardin Paul Bocuse in Kanazawa, Präfektur Ishikawa. Für eine kulinarische Veranstaltung, bei der die hervorragenden Zutaten von der Halbinsel Noto im Mittelpunkt standen, gestaltete Ayane Muroya mit passenden kalligrafischen Arbeiten und der begleitenden Menükarte eine angemessene Atmosphäre. Und ein japanischer Lyriker ließ sich von ihr einige seiner Haiku-Gedichte in Kalligrafie übertragen – er hatte sie vor Jahren in einer TV-Dokumentation gesehen, die ihre Eltern und sie selbst im Alter von sieben Jahren porträtierte.

Kommt sie bei einer Idee nicht weiter, fragt sie auch schon mal ihre Eltern um Rat. So bilden Isshū, Shukin und Ayane Muroya auf gewisse Weise ein kleines Familienunternehmen in der Kalligrafie.

室谷 文音

I   Das großzügige Haus an der Küste ist von viel Grün umgeben.
II   Dank ihrer Perfektion sind Kreise (*ensō*) positiv konnotiert. Unvollendete Kreise stehen für Bewegung und Entwicklung.
III   Anfertigen einiger lockerer Skizzen.
IV   Mehrfach wiederholte Schriftzeichen können ein Bild ergeben.

V   Die Auswahl von Tusche, Pinsel und Papier ist Teil des Prozesses.
VI   Man sucht stets die passende Materialkombination für eine Arbeit.
VII   Ayane Muroya mit Kaba, ihrer Hündin.
VIII   Eines der schönen ehemaligen Gästezimmer ist nun ihr Studio.
IX   „Sanfter Wind", Kanji-Zeichen für Wind (*kaze*).

X   Ein fantastischer Blick auf die japanischen Nordalpen im Frühling.
XI   „Wasserspirale", Wiederholungen des Kanji für Wasser (*mizu*) stehen für die glitzernde See. Gefärbtes handgeschöpftes *washi* von Nigyo Washi, Wajima, Noto.
XII   „Ich mache einen Heiratsantrag, *sakura*-Muscheln in den Händen

haltend." Haiku von Suito Ōba, Kalligrafie von Ayane Muroya, handgeschöpftes *washi* mit rosa Muscheln von Nigyo Washi, Wajima, Noto.
XIII   „Des Wassers Erinnerungen." Weiße Tusche auf indigo-gefärbtem Papier, handgeschöpft von Ayane Muroya.

Tusche wird so lange mit Wasser angerieben, bis das Schwarz richtig erscheint.

Das Anfertigen von Kalligrafien ist eine sehr kontemplative Arbeit.

Mit breiten Pinseln und viel Übung entstehen ausdrucksstarke Formen.

室
谷
文
音

Ayane Muroya lebt und arbeitet als freie Kalligrafiekünstlerin an der Küste der Halbinsel Noto und für ein paar Wochen im Jahr in Deutschland. Als Tochter von Isshū und Shukin Muroya ist sie in der Präfektur Kyoto aufgewachsen und lernte von klein auf sich mit den Mitteln der Kalligrafie auszudrücken.

Bereits als Teenager zog sie nach England, wo sie 2003 am Central Saint Martins College of Art and Design in London ihren Abschluss in freier Kunst machte. Ein Jahr später hatte Ayane Muroya ihre erste Solo-Ausstellung in einer Galerie in Kyoto, gefolgt von Ausstellungen in London, Liverpool, Tokyo, Osaka, Kōbe und natürlich Noto. 2008 gründete sie ihr Atelier „Tokarin", wo sie auch Kalligrafie-Workshops anbietet.
Kalligrafie wird in Japan auch der „Weg des Schreibens" (shodō) genannt. Stile und Schriftzeichen wurden ursprünglich von der chinesischen Kalligrafie übernommen. Durch die Ergänzung mit den japanischen Silbenschriften Katakana und vor allem Hiragana entwickelten sich mit der Zeit eigene Stile. Praktiziert wurde sie von buddhistischen

Mönchen, am Kaiserhof und später auch von Samurai-Beamten. Die traditionelle Kalligrafie folgt mit den zu verwendenden Materialien, Wörtern und Schreibweisen relativ engen Vorgaben. Als Kalligrafin der zweiten Generation arbeitet Ayane Muroya nach den Ideen der Jojō-Kalligrafie, einer von ihren Eltern gegründeten unabhängigen Bewegung (siehe Seite 260).

„Sobald man in die Schule geht, hat man auch Japanisch- und Kalligrafieunterricht. Es war das erste Mal, dass mir klar wurde, dass es eine festgelegte Reihenfolge und Richtung gibt, um die Kanji zu schreiben, Strich eins, Strich zwei, eben der richtige Weg zu schreiben. Es war für mich wirklich schockierend herauszufinden, dass das bereits jemand entschieden hatte. Meine Eltern hatten mich frei unterrichtet, sodass ich in jedweder Richtung schreiben konnte."

„Von außen sieht unser Leben sicher etwas verrückt aus, und das Pendeln ist nicht immer einfach. Hier in Japan habe ich genug Platz, um zu arbeiten. Und alles, das Arbeiten auf dem Boden, das Sitzen auf dem Boden, hilft mir, ganz natürlich in eine Arbeitsstimmung zu kommen. Wenn ich das in Berlin versuche, muss ich mehr vorbereiten, und ich denke, mein Gehirn passt sich nicht wirklich gut daran an. Für mich ist es sehr wichtig, wieder nach Europa zu gehen, um Energie zu tanken. Wenn ich lange Zeit in Japan bin, fühle ich mich langsam eingeengt. Ich muss die Umgebung wechseln, um zu erkennen, dass dies nur ein Teil der Welt ist, und die Normalität hier nicht unbedingt in einer anderen Kultur normal ist."

Papiergewichte (bunchin) fixieren das Blatt beim Schreiben.

Vom Sitzkissen aus ist meist alles gut erreichbar.

Muscheln, Treibholz und andere Dinge vom Strand sind überall im Haus zu finden.

Ayane Muroya

室谷　文音

Ayane Muroya

室谷　文音

Ayane Muroya

„Nach einer Reise
bist du an mehr
als nur an einem Ort
zu Hause."

Aus einem Brief von Isshū Muroya

Nigara Forging

二唐刃物鍛造所

› 14

Schon während der Heian-Zeit (794–1185) war die Eisen-
produktion in der Tsugaru-Region um den Vulkan Iwaki
ein wichtiger Wirtschaftszweig. Zum Ende der Sengoku-
Zeit (ca. 1467–1590) eroberte der feudale Fürst Ōura
Tamenobu mehrere Burgen seines Nanbu-Clans in der
Region Tsugaru und gab sich daraufhin den Namen
Tsugaru Tamenobu. Nach der Schlacht von Sekigahara
wurde er in seinen Besitztümern bestätigt und begann
mit dem Bau der Burg Hirosaki, die den Beginn des Fürs-
tentums Hirosaki und eine Blütezeit des Schmiedewe-
sens mit über 100 Schmieden einläutete. Die Werkstatt
von Nigara Forging, mit je einem Raum für Schmiede
und Schleiferei, liegt seit 1975 im Metall-Viertel (*kinzoku-
machi*) von Hirosaki, Präfektur Aomori.
› nigara.jp

Suzuki Morihisa Studio

鈴木盛久工房

› 24

Morioka, Präfektur Iwate, entwickelte sich aufgrund des
Reichtums an Rohstoffen über Jahrhunderte zu einem
Zentrum für die Eisengießerei. So konnte lokal abgebau-
ter Eisensand hochwertig verhüttet werden. Der für die
Verzierungen in den Gussformen benötigte Flusssand
fand sich durch den Zusammenfluss dreier Flüsse. Des
Weiteren wurde Ton für die Formen abgebaut, Holzkohle
für die Befeuerung und *urushi*-Lack für die schützende
Beschichtung gewonnen. Damit waren alle Grundvor-
aussetzungen für das Gießen hochwertiger Eisenwaren
gegeben. Für viele Eisengießer des Landes war dies
Grund genug sich in der Region niederzulassen. Seit
1885 befindet sich die Werkstatt von Suzuki Morihisa in
dem traditionellen Handwerkerviertel. Zuvor hatte ein
Großbrand die ehemaligen Werkstattgebäude zerstört.
› suzukimorihisa.com

Shimatani Syouryu Koubou

昇龍工房シマタニ

› 34

Zu Beginn der Edo-Zeit (1603–1868) konnte der lokale
Maeda-Clan einige hervorragende Metallgießer dafür
gewinnen, sich in ihrem Herrschaftsbereich anzusiedeln.
Zunächst fertigten sie gusseiserne Kannen und Kessel,
stellten aber bald auch Messingwaren und aus Bronze
gegossene buddhistische Altarbeschläge her, für
die in ganz Japan Bedarf bestand. So entwickelte sich
Takaoka dōki (Takaoka-Kupferwaren und Bronzeguss),
das heute 90 Prozent aller derartigen Produkte in
Japan abdeckt. Parallel zur Spezialisierung auf buddhistische Altarbeschläge entstand das Handwerk für die
gehämmerten *orin*-Gongs. Die Werkstatträume von
Shimatani sind im Erdgeschoss zweier Gebäude, getrennt durch eine schmale Straße, in einem Wohngebiet
in Takaoka, Präfektur Toyama, untergebracht.
› syouryu.com

Masami Mizuno

水野正美

› 44

Während der Wadō-Ära (708–715), übersetzt in etwa
„japanisches Kupfer", wurden bedeutende Kupfervor-
kommen in der heutigen Präfektur Saitama entdeckt,
was zur Prägung der ersten Kupfermünzen Japans
führte. Durch verbesserte Metallgewinnungsverfahren
wurde Japan zu einem der wichtigsten Kupferprodu-
zenten Asiens. Tsubame in der Präfektur Niigata entwickelte sich in der Edo-Zeit (1603–1868) zur traditionellen
Region für hammergetriebene Kupferwaren (*tsuiki dōki*)
und ist auch heute noch ein wichtiges Zentrum für die
Metallverarbeitung. Die Stadt Nagoya ist heute das
viertgrößte Industriezentrum Japans und der Verwal-
tungssitz der Präfektur Aichi. Masami Mizunos Atelier
liegt in einem schönen alten Wohnhaus in einem sehr
zentralen, aber ruhigen Wohnviertel.
› sites.google.com/site/mizuno033

Chiyozuru Sadahide Studio

千代鶴貞秀工房

› 54

Miki in der Präfektur Hyōgo ist für die Produktion von Werkzeugen zur Holzbearbeitung die bekannteste Region in Japan. Natürliche Vorkommen von Eisenerz in den Bergen von Chūgoku und Zinnober am Berg Tanjō (Niuyama) veranlassten den frühen Kaiserhof, die Region unter direkte Kontrolle zu stellen. Am Ende der Sengoku-Zeit (ca. 1467–1590), der „Zeit der kriegführenden Lande", kamen viele Zimmerleute nach Miki, um die stark beschädigte Stadt wiederaufzubauen. So erlebte das Gewerbe für handgeschmiedete Holzwerkzeuge eine Blütezeit. 1996 ernannte die japanische Regierung das Banshū Miki Handwerk für geschmiedete Klingen wie Sägen, Eisen, Meißel, Hobel (*kanna*) und Handwerksmesser (*kogatana*) zu einem „Traditionellen Handwerk Japans". Die zwei Werkstätten von Chiyozuru Sadahide befinden sich in den benachbarten Orten Miki und Ono.
› chiyozurusadahide.jp

Kobayashi Shikki

小林漆器

› 66

Der *Tsugaru nuri*-Lackstil entstand während der Herrschaft des lokalen Tsugaru-Clans im späten 17. Jahrhundert. Die wertvollen Objekte wurden über einen langen Zeitraum nur für die Herrscher und die Oberschicht angefertigt. Samurai-Familien griffen das Handwerk in der späten Edo-Zeit auf. In der Meiji-Zeit (1868–1912) wurden die eleganten und haltbaren Lackwaren einer breiteren Bevölkerungsschicht zugänglich gemacht, wonach eine Vielzahl von Alltagsgegenständen mit *Tsugaru nuri*-Oberflächen versehen wurde. Die Stadt Hirosaki, Präfektur Aomori, liegt am Fuß des Vulkans Iwaki, in dessen unmittelbarer Umgebung auch Lackbäume kultiviert werden. Das zweistöckige moderne Werkstattgebäude mit Verkaufsraum steht neben dem Wohnhaus der Familie in einem Wohngebiet nahe der Burg von Hirosaki.
› kobayashishikki.com

Junko Yashiro

八代淳子

› 74

Junko Yashiro fühlt sich weder einer klassischen Stilrichtung noch einer traditionellen Region für *urushi*-Lackarbeiten wie *Wajima nuri*, *Aizu nuri* oder *Kishū shikki* zugehörig. Sie wollte der Enge Tokyos entfliehen und stattdessen mit ihrer Familie inmitten der Wälder von Karuizawa leben, die sie aus den Urlauben ihrer Kindheit kannte. Schon seit der Meiji-Zeit (1868–1912) nutzen Tokyoter die schöne Gegend in der Präfektur Nagano als Sommerfrische. Der Ort wird auch vom japanischen Schnellzug Shinkansen angefahren. Das moderne Architektenhaus der Künstlerin hat einen Anbau mit ihrem Atelier für die Holzbearbeitung, das Studio für die *urushi*-Arbeiten ist innen an die Wohnräume angegliedert. Haus und Atelier wirken einerseits japanisch modern, zugleich aber auch europäisch inspiriert.
› junko-yashiro.net

Yanase Washi

やなせ和紙

› 84

In Echizen, Präfektur Fukui, wurde früh Papier für Geldscheine hergestellt, und entsprechend wurden enge Beziehungen zu Shōgunat und Kaiserhof gepflegt. Der berühmte Heizaburō Iwano (1878–1960) arbeitete erfolgreich an der Verbesserung der Papierqualität für *nihonga* (japanische Malerei), um von chinesischen Lieferanten unabhängig zu werden. So kam es zu Aufträgen, das Papier für japanische Schiebetüren herzustellen. Das Gebiet Goka, das sich aus fünf kleinen Dörfern zusammensetzt, beheimatet heute noch etwa 30 traditionelle Papierhersteller. Basierend auf jahrhundertelanger Tradition und ständiger Innovation, hat sich Echizen einen ausgezeichneten Ruf für seine vielfältigen Papierprodukte erworben. Die geräumige Werkstatt und das Wohnhaus der Familie Yanase befinden sich inmitten eines kleinen Seitentals neben anderen Gebäuden und Produktionsstätten.
› washicoo.jp

Atelier Kawahira

工房かわひら

› 94

Als vor langer Zeit die lokalen Machthaber in der Region Sekishū (Teil der heutigen Präfektur Shimane) die Bauern dazu ermunterten, im Winter Papier aus Kōzo-Fasern zu produzieren, wurde ein Papier erschaffen, das man heute als *Sekishū washi* kennt. Gemessen an den großen Stadtregionen Kōbe, Okayama und Hiroshima liegt die Präfektur Shimane auf der weniger entwickelten Seite der japanischen Hauptinsel Honshū. Das lokale Papiermacher-Handwerk scheint auch deswegen noch nicht verschwunden zu sein, weil es in der Region eher wenig industrielle Jobs gibt. Die Werkstatt von Atelier Kawahira liegt neben dem Wohnhaus der Familie. Im alten Holzbau werden die Fasern gekocht, zerkleinert und die Bögen getrocknet. Im neueren Gebäude gegenüber erfolgt das Schöpfen und Schneiden der Bögen.
› kaminokunikara.jp

Take Kobo Once

竹工房オンセ

› 104

Die Bambusflechtkunst aus Beppu (*Beppu Take Zaiku*) basiert hauptsächlich auf dem in der Präfektur Ōita weit verbreiteten Madake-Bambus (*Phyllostachys bambusoides*). In der Muromachi-Zeit (1338–1573) wurden geflochtene Bambuswaren vor allem von reisenden Händlern verbreitet. Doch erst die Besucher der heißen Quellen in der Region sorgten in der Edo-Zeit für eine stark wachsende Nachfrage, und aus dem Nebenverdienst von Bauern wurde ein eigener Kunsthandwerkszweig. Auf der Suche nach Flächen für den ökologischen Ackerbau stieß Masato Takae auf ein Grundstück in den Bergen oberhalb Beppus. Statt etwas anzupflanzen, baute er dort mit Freunden über mehrere Jahre ein zweistöckiges Blockhaus für die Familie. Später errichteten sie ein zweites Blockhaus für das Studio auf dem gleichen Grundstück.
› take-once.com

Hajime Nakatomi

中臣一

› 114

Die Präfektur Ōita ist ein landesweites Zentrum für die kunsthandwerkliche Arbeit mit der faszinierenden Bambuspflanze. Hier, auf der südlichen Hauptinsel Kyūshū, stehen aufgrund idealer Bedingungen etwa 40 Prozent der Bambushaine Japans. Das Atelier von Hajime Nakatomi befindet sich in einer alten Gesamtschule außerhalb des Zentrums der Stadt Taketa. Der ehemalige Musikraum bietet ihm viel Tageslicht und eine Menge Platz zum Arbeiten. Im Rahmen ihrer Bemühungen, das Bambushandwerk in Taketa wieder aufleben zu lassen, stellt die lokale Verwaltung seit 2012 die Räumlichkeiten als Teil des TSG-Projekts (Taketa Sogo Gakuin, Taketa Gesamtschule) Handwerkern und Künstlern als Ateliers zur Verfügung. Zusammen mit anderen Bambuskünstlern bewirtschaftet Hajime Nakatomi einen eigenen Bambushain in der Gegend.
› h-nakatomi.com

BUAISOU

› 126

Als der Yoshino noch nicht von Deichen eingefasst war, wurde das flache Tal durch starke Regenfälle während der Taifun-Saison regelmäßig überschwemmt. Da Reispflanzen etwa zur gleichen Zeit zu ernten sind, kam deren Anbau in der Gegend weniger in Frage. Dagegen schien die eigentlich schwierig zu kultivierende Indigo-Pflanze ideal für die fruchtbaren Flächen zu sein. So wurde die heutige Präfektur Tokushima in früheren Zeiten zum wichtigsten Indigo-Produzenten in Japan. Heute ist der Fluss schon lange gebändigt, und auch der Anbau von japanischem Indigo ist geblieben. Er ist nach wie vor Grundlage für den natürlichen Indigo-Farbstoff. Die Werkstatt von BUAISOU wurde in der Nähe des Yoshino in einem ehemaligen Stall eingerichtet, umgeben von Feldern und vielen Gewächshäusern.
› buaisou-i.com

ISSO

一草

› 136

Die Präfektur Tokushima ist in ganz Japan für die Produktion von Awa-Indigo bekannt, benannt nach dem alten Namen der Region Tokushima. In der Azuchi-Momoyama-Zeit (1573–1603) unterstützte der lokale Hachisuka-Clan den großflächigen Anbau von Indigo in seinem Herrschaftsbereich. In der Edo-Zeit (1603–1868) dominierte Indigo aus Tokushima den größten Teil des japanischen Markts. Doch zum Ende der Meiji-Zeit (1868–1912) brach der Markt zusammen, da verstärkt günstiger Indigo aus Indien importiert und in Deutschland um 1900 der synthetische Indigo-Farbstoff entwickelt wurde. Das Atelier von Tokiko Kajimoto liegt in einem Wohnviertel in Tokushima südlich des Yoshino. In der Umgebung fällt das schmale, vom Architekten Shinji Tomita geplante Haus erst auf den zweiten Blick auf.
› awa-ai.com

Tree to Green

› 144

Das enge und verschlungene Kiso-Tal in den Präfekturen Nagano und Gifu beheimatet zahlreiche Bäume der Arten Hinoki- und Sawara-Scheinzypresse, Japanischer Lebensbaum (Nezuko), Schirmtanne (Kōyamaki) und Hiba-Lebensbaum (Asunaro), die auch die „fünf heiligen Bäume von Kiso" genannt werden, sowie einige Sugi (Japanische Zeder). Kalte Winter lassen die Bäume langsam und mit einer qualitativ besseren, dichteren Holzstruktur wachsen. Jede Baumart verfügt über spezifische Eigenschaften, die in Japan seit langer Zeit von spezialisierten Handwerkern gekonnt für bestimmte Produkte eingesetzt werden. Tree to Green hat seinen Sitz in Tokyo, unterhält aber eine eigene Werkstatt nicht weit von der Stadt Kiso entfernt in einem Seitental. Die Werkstatt von Kosegi Mokko befindet sich im südlichen Kiso-Tal in dem kleinen Ort Nojiri.
› treetogreen.com

TATEMOKU

楯木工製作所

› 156

Viele holzverarbeitenden Betriebe in der Kiso-Region nutzen Hölzer aus den lokalen Wäldern gemäß ihren natürlichen Eigenschaften. Die Kiso-Hinoki hat aufgrund der lokalen klimatischen Bedingungen feine Holzfasern, was sie für die Nutzung für *kumiko*-Gitter prädestiniert. Die gute Flexibilität der Fasern ist für die sehr dünn gesägten Leisten von großer Bedeutung. Die Werkstatt von TATEMOKU liegt oberhalb des Kiso-Flusses an einer Biegung des Kiso-Tals nach Westen und ist nur einige hundert Meter von der berühmten historischen Poststadt Tsumago entfernt. Das heutige Touristenziel war früher eine wichtige Poststation auf dem Nakasendō, dem Verbindungsweg zwischen dem damaligen Edo und Kyoto (siehe rechts). Die Firma betreibt dort ein Souvenirgeschäft mit einigen Holzarbeiten aus der eigenen Produktion.
› tatemoku.jp

Okekazu

桶数

› 164

Neben der hervorragenden Qualität des hier gewachsenen Holzes und der daraus gefertigten Handwerksprodukte ist die topografische Lage einer der Gründe für die Bekanntheit der Kiso-Region. Der westliche Teil des berühmten alten Nakasendō-Postwegs, der „Straße durch die zentralen Gebirge", verläuft durch das Tal. Er war in der Edo-Zeit eine wichtige Verbindung zwischen der Hauptstadt Edo (dem heutigen Tokyo), und der alten Kaiserstadt Kyoto. Die Werkstatt von Okekazu wurde Mitte der 1990er-Jahre erbaut. Das Gebäude hat einen Schauraum und den Werkstattraum für die kleineren Eimer und Bottiche. Ein zweites Werkstattgebäude befindet sich in einem Seitental und dient vor allem der Produktion der großen Fässer und Badewannen aus Massivholz.
› okekazu.jp

Yamaichi Ogura Rokuro Crafts

ロクロ工芸所
ヤマイチ小椋

› 174

Während der Edo-Zeit (1603–1868) förderte der in der Region Kiso herrschende Owari-Clan die Forstwirtschaft. Zu Beginn des 18. Jahrhunderts fanden erste hier gefertigte einfache Schüsseln und Tabletts ihren Weg nach Nagoya und Osaka. Von da an erarbeitete sich das Handwerk *Nagiso rokuro zaiku* mit aus massivem Holz gedrehten Behältnissen seinen noch heute bestehenden ausgezeichneten Ruf. Er basiert insbesondere auf dem außerordentlichen Gespür der lokalen Kunsthandwerker für ihren Werkstoff. Heute fertigen nur noch sechs Drehereien die regionalen Holzprodukte aus Kiso. Yamaichi Ogura Rokuro Crafts betreibt seine Werkstatt am Ende eines kleinen Seitentals in der Kiso-Region, Präfektur Nagano. Hinter dem beachtlichen Gebäude mit dem großen Verkaufsraum befinden sich das Holzlager und einige kleinere Werkstattbauten.
› yamaichi-rokuro.com

OTA MOKKO

› 184

In der Edo-Zeit kontrollierte die Burg Odawara den alten Post- und Handelsweg Tōkaidō, den „östlichen Seeweg", der das historische Edo, Sitz des Tokugawa-Shogunats, mit der alten Kaiserstadt Kyoto verband. In Sichtweite der Burg liegt das alte Holzarbeiterviertel Odawaras. Hier sollen schon seit der Heian-Zeit (794–1185) Drechsler im lokalen *kijibiki*-Stil gearbeitet haben. Später wurde hier auch anderes holzbasiertes Kunsthandwerk wie Odawara-Lackarbeiten, Trickschachteln (*karakuri zaiku*), bildhafte Intarsienarbeiten (*moku zogan*) und Holzspielzeuge gefertigt. Ken Ota betreibt seine *yosegi zaiku*-Werkstatt mit eigenem Shop zusammen mit seiner Frau unter dem Namen OTA MOKKO in diesem alten Holzarbeiterviertel in einer ehemaligen gemeindebasierten Nudelmanufaktur.
› ota-mokko.com

Kazuto Yoshikawa

吉川 和人

› 194

In der Metropolregion Tokyo leben mehr als 37 Millionen Menschen (Stand 2015) – es ist der bevölkerungsreichste Ballungsraum der Welt. Lokale Künstler und Kunsthandwerker müssen einerseits die hohen Lebenshaltungskosten schultern, finden zugleich aber auch Ausstellungsmöglichkeiten und viele potenzielle Käufer für die eigenen Arbeiten. Außerdem ist Tokyo spätestens seit der Edo-Zeit ein wichtiges Zentrum für verschiedene traditionelle Kunsthandwerksarten wie Weberei, Färberei und Glasarbeiten. Kazuto Yoshikawa betreibt seine Holzwerkstatt inmitten des Stadtbezirks Setagaya in Tokyo, im gemieteten Teil der Werkhalle einer örtlichen Schreinerei. Er wohnt mit seiner Familie nicht weit entfernt in der gleichen Gegend.
› kazutoyoshikawa.com

Koichi Onozawa

小野澤 弘一

› 204

Die Präfektur Tochigi ist in der Welt der Keramik vor allem durch die originären Keramikstile *Mashiko yaki* (Mashiko-Keramik), *Koisago yaki* und *Mikamo yaki* bekannt. Die Region um Nakagawa und Daigo, eine nahe Stadt in der Nachbarpräfektur Ibaraki, ist bekannt für die Gewinnung von hochqualitativem *urushi* lokaler Lackbäume. Während der Sommermonate wird die Rinde von Bäumen ab einem Alter von zwölf Jahren angeritzt und der austretende Baumsaft wird gesammelt. Die Bäume sterben danach ab, doch wenn die Stämme sauber an der Wurzel gekappt werden, bilden sich im darauffolgenden Jahr neue Triebe. Koichi Onozawa engagiert sich in einer gemeinnützigen Organisation für die lokale Rekultivierung von Urushi-Bäumen. Sein Atelier in einem kleinen Lagerhaus und sein Wohnhaus liegen in einem Seitental des Flusses Naka, bei der Stadt Nakagawa.
› koichionozawa.com

Shozo Michikawa

道川 省三

› 214

Nordöstlich von Nagoya liegt die Stadt Seto, Präfektur Aichi. Der Ort ist einer der sogenannten „Sechs alten Brennöfen Japans" („Rokkoyō") und eine der charakteristischsten Keramikstädte des Landes. Bis heute wird an vielen Stellen hochwertiger Ton in großen Gruben abgebaut und von unzähligen kleinen und großen Töpfereien und Herstellern von Gebrauchskeramik verarbeitet. Jedes Jahr im September findet das Setomono Matsuri, ein Keramikfestival, statt, das tausende Besucher anzieht. Als Studio nutzt Shozo Michikawa einen kleinen Raum in einer alten Kachelfabrik am Nordrand der Stadt. Vor vielen Jahren hatte er die Chance, den Ort gemeinsam mit anderen Keramikern anzumieten. Hier teilen sie sich auch einen großen Gasbrennofen.
› shozo-michikawa.com
› icaf-sasama.com

Toru Hatta

八田 亨

› 226

Osaka ist, nach Tokyo und Yokohama, die drittgrößte Stadt Japans und ein traditionelles Handelszentrum. Ursprünglich Naniwa genannt, ist sie auch als eine der Geburtsstätten der Sue-Keramik (*sueki*) bekannt. Zuerst nur für Grab- und Ritualgegenstände genutzt, gehen die unglasierten dunkelgrauen Stücke auf frühe Handelsbeziehungen mit Korea zurück. Sue-Keramik wurde insbesondere während der Kofun-, Nara- und Heian-Zeit (ca. 300–1185) in Japan und Korea hergestellt und bildet den Ausgangspunkt für viele charakteristische Keramikstile in Japan. Toru Hatta wohnt mit seiner Familie in einem Stadtviertel von Tondabayashi, südöstlich von Osaka, inmitten alter schöner Bürgerhäuser. In einem Anbau des neuen Hauses befindet sich sein kleines Keramikstudio. Sein holzbefeuerter Brennofen steht auf dem Gelände des zweiten Ateliers im nahen Sakai.
› hattatoru.com

Kasamori | 000

笠盛 — 000

› 236

Die Stadt Kiryū, Präfektur Gunma, hat sich seit der Nara-Zeit (710–794) zu einem Zentrum der japanischen Textilproduktion und Seidenraupenzucht entwickelt. Jahrhunderte später nutzte Tokugawa Ieyasu sogar weiße Seidenflaggen aus Kiryū in der entscheidenden Schlacht von Sekigahara im Jahr 1600. In der folgenden Edo-Zeit (1603–1868) wurden verbesserte Weberei-Technologien aus Nishijin, Kyoto, übernommen. Die Industrie entwickelte sich schnell, und schon bald sagte man: „Für den Westen ist es Nishijin, für den Osten ist es Kiryū." Die Bedeutung des Handwerks für die Stadt sieht man heute an den Sheddächern der zahlreichen typischen Produktionsgebäude. Kasamori produziert in einem alten Holzgebäude und einem modernen Anbau, welche beide die charakteristischen Dächer tragen.
› kasamori.co.jp
› 000-triple.com

tamaki niime

Beim originären Handwerk *Banshū ori* erfolgt das Färben der Garne vor dem Weben der Textilien. Von den nahen Bergen kommend war das zum Färben benötigte weiche, klare Wasser immer in Nishiwaki, Präfektur Hyōgo, verfügbar. So entwickelte sich ein Färberhandwerk, welches Garne für lokale Bauernfamilien lieferte, die daraus nach definierten Vorgaben *Banshū ori*-Stoffe webten. Mit modernen Webstühlen entstand daraus ein industrialisiertes, aber regional verwurzeltes Kunsthandwerk. Die große weiße Werkhalle von tamaki niime nahe Nishiwaki ist Teil des Gebäudekomplexes einer ehemaligen Färberei. Hier werden sämtliche Textilien der Marke produziert, genäht und in einem großen Verkaufsraum präsentiert. Die Baumwollfelder für einige selbstproduzierte Garne und die Reis- und Gemüsefelder für den „Tabe Room" befinden sich in der nahen Umgebung.
› niime.jp

Isshū und Shukin Muroya

一柊・朱琴
室谷

› 256

Die weit in das japanische Meer ragende Halbinsel Noto im Norden der Präfektur Ishikawa besticht vor allem durch ihre üppige Vegetation und die ländliche Umgebung. Aufgrund der Abgeschiedenheit und zerklüfteten Topografie gibt es nur wenige bebaute Flächen, dafür umso mehr Wald mit dichtem Grün. Den vorherigen Wohnort in der ländlichen Umgebung Kyotos wählten Isshū und Shukin Muroya, um mit dem natürlichen Quellwasser arbeiten zu können. So ist es auch hier, nur dass sie ihr Zuhause auf Noto insbesondere auch als Ort der Inspiration schätzen. Das Ehepaar lebt und arbeitet direkt am Waldrand, in einem wunderschönen alten Bauernhaus mit Blick in ein kleines Tal. Aufgrund der erhöhten Lage und der Nähe zum Japanischen Meer können hier im Winter mehrere Meter Schnee fallen.

Ayane Muroya

室谷 文音

› 266

Auch wenn in der Kalligrafie ausschließlich kunsthandwerkliche Produkte genutzt werden, gibt es keine regionale Koinzidenz. Vielmehr fanden die hochwertigen handgemachten Papiere, Pinsel, Tusche und Tuschesteine ihren Weg zu den Kalligrafen in buddhistischen Klöstern und in den kulturellen und politischen Zentren Kyoto und Edo (Tokyo). Die Halbinsel Noto ist mit einer großartigen Natur und einer hervorragenden Wasserqualität gesegnet, welche gut mit der Kalligrafietusche harmoniert. Ebenso schätzen einige lokale Papiermacher das Wasser für ihr handgeschöpftes *washi*, das auch für kalligrafische Arbeiten genutzt wird. Ayane Muroya lebt mit ihrem Mann in einem ehemaligen *minshuku* (einer familiengeführten Pension) mit viel Platz für ihre Arbeit in einer inspirierenden Umgebung direkt an der Küste.
› ateliertokarin.com

Dank der Autoren

Unser herzlicher Dank gilt Ayane Muroya, Paul Muthers und Hiroki Iwasa, ohne die dieses Projekt nicht möglich gewesen wäre, Junko Kawashima und Yuika Kubo von JETRO, unseren Familien und Freunden für ihre Unterstützung. Dank an Alexa Vachon, Walter Hellmann, Kirsty Seymour-Ure sowie an Lucas Dietrich und Fleur Jones von Thames & Hudson für ihren Rat. Besonderer Dank gilt Kengo Kuma für sein Vorwort und insbesondere allen Handwerkern und Künstlern, ihren Familien und Teams, die ihre Gedanken und Herzen mit uns geteilt haben (in der Reihenfolge der Besuche): Shozo und Masae Michikawa; Nori, Miyoko, Yoshinori Sakai, Tamaki Niime; Isao und Masao Kawahira, Hamada City Office; Masato und Etsuko Takae, Nobuhiro Miyamoto, Noriko und Naoki Yoshida; Hajime Nakatomi, Toru Kato; Tokiko und Yudai Kajimoto; Kyoko Nishimoto, BUAISOUs Team; Iwao Kanki und Naoki Morita; Toru Hatta, Yuki Kondo, Ninni Mäklin, Emi Uda; Familie Yanase, Echizen Paper and Culture Museum; Masami Mizuno, Sayako Kidokoro, Ian Orgias und Mitsue Iwakoshi von Analogue Life; Junko und Takeshi Yashiro, Miki Mita; Yasutoshi Kasahara, Yoichi Katakura; Koichi und Noriko Onozawa, Yasuka Sato; Familie Kobayashi; Shiiko Kumagai und Shigeo Suzuki; Go und Toshihisa Yoshizawa; Kazuto Yoshikawa; Ken und Umi Ota, Mariko Harigai; Takanori und Lena Kosegi sowie Hideo Kosegi und seine Frau; Kesao und Takumi Ito; Kazuo Ogura; Toshihiko Tate; Yoshinori und Kumekazu Shimatani sowie Isshū und Shukin Muroya.

Bildnachweis

Nigara Forging: S. 19 oben; Suzuki Morihisa Studio: S. 29, S. 30 oben links, rechts, unten links; Chiyozuru Sadahide Studio: S. 59; Jihei Kunisaki: S. 99, aus: *Kamisuki Chohoki*, 1798; Take Kobo Once: S. 109; Yūsuke Nishibe: S. 119; Kyoko Nishimoto / BUAISOU: S. 130 oben links, Mitte, S. 135; Siebold und Zuccarini: S. 149, aus: *Flora Japonica*, 1835–70; Tree to Green: S. 155 unten links, rechts; Nacása & Partners Inc. / Tree to Green: S. 159; TATEMOKU: S. 160 unten links, rechts; Miho Urushiwaki / Ryu Kosaka von A.N.D.: S. 169; Unbekannt: S. 179; Yamaichi Ogura Rokuro Crafts: S. 180 oben Mitte; Kazuto Yoshikawa: S. 199, S. 200 oben links, rechts, unten; Yoshinori Seguchi: S. 219 oben und unten; Alessandra Vinci: S. 219 Mitte; Toru Hatta: S. 229; Kasamori: S. 240 oben, unten Mitte; tamaki niime: S. 255 oben; Isshū und Shukin Muroya: S. 259. Alle anderen Abbildungen stammen von den Autoren.
Wir haben uns bemüht, alle Rechteinhaber für die in diesem Buch verwendeten Abbildungen zu kontaktieren. Bei Fragen wenden Sie sich bitte an den DK Verlag.

S. 2   Koichi Onozawa bereitet Ton für seine Arbeiten vor.
S. 7   Die Oberfläche einer Hobelklinge wird von Chiyozuru Sadahide III bearbeitet.
S. 11   Bei Nakano, Präfektur Nagano.

S. 12   An der Westküste im Norden Japans.
S. 276–277   An der Nordküste der Halbinsel Noto.
S. 278   Tomobata Matsuri, ein lokales Fest, in der Bucht von Ogi, Halbinsel Noto.

Register

Published by arrangement with
Thames & Hudson Ltd, London,
CRAFTLAND JAPAN
© 2020 Thames & Hudson Ltd, London
Design © 2020 Uwe Röttgen and
Katharina Zettl
Text and photography © 2020
Uwe Röttgen and Katharina Zettl
Vorwort © 2020 Kengo Kuma

This edition first published in Germany in
2020 by Dorling Kindersley Verlag GmbH,
München

Für die deutsche Ausgabe:
Programmleitung Monika Schlitzer
Redaktionsleitung Dr. Kerstin Schlieker
Herstellungsleitung Dorothee Whittaker
Herstellungskoordination
Ksenia Lebedeva
Herstellung Sophie Schiela

Lektorat Anja Ashauer-Schupp
Korrektorat Susanne Böse

© der deutschsprachigen Ausgabe 2020
Dorling Kindersley Verlag GmbH
Ein Unternehmen der Penguin Random
House Group
Alle deutschsprachigen Rechte
vorbehalten

ISBN 978-3-8310-3984-5

Druck und Bindung
C&C Offset Printing Co Ltd, China

MIX
Papier aus verantwor-
tungsvollen Quellen
FSC® C008047

www.dorlingkindersley.de